改革・改善のための戦略デザイン

製造業DX

業界標準の指南書

髙橋 信弘
清原 雅彦
折本 綾子 著

Digital Transformation

秀和システム

はじめに

デジタル化による恩恵は、急速かつ広範囲に広がっています。海外では、Google、Amazon、Facebook、Apple などが、IT 企業のインフラ的な存在となり、人々の生活に溶け込んでいます。また、既存ビジネスにも大いに影響を与えています。

例えば、Google と Apple は、携帯電話メーカーを凌ぐ勢いで成長し、Amazon は、ネット販売で書店やそのほか小売店以上の売上をマークし、Facebook は、コミュニケーションツールとしてメールや電話の需要を高めています。

現在は、コロナ禍となり、「経済」への大打撃を解決するため、DX（デジタルトランスフォーメーション）は、絶対に欠かせない要素の 1 つとして注目されています。DX とは、IT 化されたデータやデジタル技術を活用して、ビジネススタイルを変革し、競争で優位に立つことです。

経済産業省が 2018 年に発表した「DX レポート」の中で、日本は近い将来、多くの企業で既存の IT システムが老朽化し、事業拡大や企業の成長が妨げられる「2025 年の崖」問題が生じると警告しています。これを回避するため、多くの企業が DX への取り組みを始めています。

DX といったバズワードが流行しているいま、「じゃあ自社も！」と思う経営者も多いでしょう。また、DX は、経済産業省が推進するほどに、重要な施策と位置付けられています。しかし、「とにかくやろう！」と、スピード重視で取り組んでも、現場は振り回されるだけで、社員が疲弊してしまう可能性があります。また、しっかりとしたビジョンがなければ社員との信頼関係にも影響がでます。

製造業としては、まずはDX自体の意義を理解し、企業文化と照らして、DXへの投資に対する費用対効果など、どういうメリットがあるのか、誰のためにどのように変えていけるのかを考えていくことから始めてみるべきです。なぜDXが必要なのかを理解し、どんな効果が得られるのか、何を求めるのかをしっかり理解することが重要です。

現在、製造業と、製品を顧客まで届ける役割を担っているロジスティクスは、サプライチェーンの枠組みの中で、一心同体となっています。さらに、製造業は、プラットフォームを構築してデジタルイノベーションを拡大しようとしています。

製造業とロジスティクスが一体化したDXは、「製造業DX」として本文では取り扱っています。したがって、本書は個人企業から中小企業の製造業を含む分野をカバーしています。

中小企業の製造業の経営者には高齢の人も多く、長年働いているマネジメント層は、デジタル技術に苦手意識を持っている人が多いです。長年働いてきた熟練の職人やベテラン社員の定年を延長し、若手社員に熟練の技を伝授した人が、品質レベルが安定した製品を作れる、熟練者が多ければ多いほど、仕事は円滑に回って、安定した経営ができると思っている部品メーカーの経営者もいます。

こういったことから、DXの導入にあたって、古い企業文化が邪魔をして、資金を出せない、DXを導入しても、すぐに利益が出ない、といった事例もあります。

中小製造業では、新たなテクノロジーを活用できる社員や人材が少ないという問題もあります。また、業務の範囲が幅広いため、DX導入に際して多くの問題を抱えるケースが多いようです。

DX の分野には、IT 技術の専門用語がたくさん使用されています。本書は、製造業の専門 IT 技術者を対象としたものではなく、製造業にたずさわる人々や工業系学生、経営者や一般の読者でも理解できるように、本文に現れた専門用語に注釈を付けました。本書は製造業の DX について理解が深まるだけでなく、DX 導入に向けて自社の取り組みを着実に進めるガイドにもなります。

また、基礎的な情報技術や経営戦略事例など、幅広い視点から新たな知見を得られるコラムも用意しました。コラムは、情報技術についての基礎知識や専門用語も容易に理解できるように構成しています。興味があるテーマからでもご一読いただき、さらに進化していく情報技術と共に、人と自然が共生し、多くの人々が安心・安全を確保し幸せを享受できるサステナブルな社会（持続可能な社会）の実現に向けて、また、将来の動向を見据え、新たな価値やサービスを創出するアイデアや発想の転換に役立ててください。

本書が DX 導入の取り組みの一助となれば幸いです。

2021 年 11 月　著者

改善・改革のための戦略デザイン
製造業DX

はじめに …… 3

1章　なぜいまDXなのか

01　コロナ禍のDX …… 10
02　ブラックボックス化 …… 13
03　ノウハウの喪失 …… 14
04　コロナ禍と製造業 …… 16
05　DXにおけるAIの役割 …… 19
コラム　非接触型ICカード技術 …… 20
06　テレワーク導入とDX …… 24

2章　製造業DXの現状と課題

01　製造業DXへの取り組みの現状 …… 26
02　デジタル・ディバイド …… 29
03　IT化とDXとは違う …… 32
04　環境変化への対応策 …… 33
05　既存のITシステムとDX …… 36
コラム　提案依頼書（RFP） …… 40
06　ユーザー企業とITベンダー企業 …… 42
コラム　「要件定義」と「要件定義書」 …… 51
07　中小製造業のIT化 …… 52
08　既存システムのレガシー化 …… 57
09　設計、品質管理、物流のDX …… 60
10　顧客ニーズの変化に対応 …… 66
11　工場倉庫業DX …… 70
12　製造業のIT化は遅れている …… 73

コラム　Appleの事例から学ぶ 物流の在庫解消と業績回復への取り組み …… 75
13　サプライチェーンのDX …… 79
14　外注型SIから内製型DXへ …… 82

3章　先進事例・成功事例に学ぶ製造業のDX

01　製造業DXの活用状況 …… 86
02　アナログからデジタルへ …… 91
コラム　「富士通グローバル・デジタルトランスフォーメーション 調査レポート2019」 …… 94
03　事務のデジタル化 …… 97
04　製造業DXの先進事例①…D社 第2工場のWMS導入 …… 106
05　製造業DXの先進事例②…T社 本宮工場のOCR導入 …… 109
06　製造業DXの先進事例③…S社のOCR導入 …… 111
07　製造業DXの先進事例④…中小製造業の事例 …… 113
08　製造業DXの先進事例⑤…中小A社 タブレット端末導入 …… 115
09　製造業DXの先進事例⑥…中小B社 ドライブレコーダー導入 116
10　製造業DXの先進事例⑦…中小C社 デジタル・サイネージ導入 118

4章　成功するソフトウェアのデジタル技術者の人材育成に学ぶ

01　システム・アーキテクトのエンジニアの人材育成 …… 122
02　人材不足はマネジメントで解消できる …… 127
コラム　システム開発と要件定義の流れ …… 132
コラム　プログラム言語の歴史 …… 139
03　スマートファクトリー …… 142
コラム　世界デジタルサミット2021DX導入事例 …… 153
04　RFIDによる製品管理 …… 156

5章 成長のための戦略デザイン

01 モノづくりと現場力 …… 162
02 デジタルプラットフォーム …… 170
03 サプライチェーン DX 戦略 …… 176
04 スマート工場化の変革 …… 183
コラム 通信ネットワーク技術がもたらす新しい社会システム …… 186
05 内製化戦略デザイン …… 190
06 製造業 DX と働き方改革 …… 194
コラム AI は、働き方をどのように変えるか？ …… 197
07 DX 成功への戦略デザイン …… 201
08 ソフトウェア開発の手順と文書化 …… 205
09 情報社会の到来と進展 …… 208

Index …… 211

1 なぜいまDXなのか

いまだかつて経験したことのない新型コロナウイルスの影響で、私たちの働き方や生活は一変しました。製造業ではどんな変化が起きているのか、なぜいまDXを推進するのか、について解説していきます。

01 なぜいまDXなのか

コロナ禍のDX

新型コロナウイルス感染症の拡大の中、DXは、デジタル技術を活用しながら発展しています。私たちの暮らし方や働き方の変化や取り組みについて説明していきます。

◇コロナ禍の影響でDXが加速化

朝起きてテレビをつければ、地上波デジタルの双方向通信サービスによって簡単に自分の住んでいる地域の天気予報や交通情報を入手できます。電車に乗れば、非接触のICを利用した定期券でピッと改札を通り抜けたり、ネットショップで買い物をすれば、数日以内に宅配便で家に届いたり、通信技術、物流のIT化の広がりによって、私たちの生活は、もはや情報技術（デジタルテクノロジー）なくしては成り立たない時代になっています。

現代においては、ほとんどの消費者がIT技術によってデジタル化されたいまの時代に慣れてきています。**Suica**などの電子マネーによって、わざわざ切符を買う必要がなくなったり、**GPS**を利用してスマホをカーナビの代わりに使ったり、書籍をスマホやタブレットなどで読むことで書籍を持たなくなったり、このようなITシステムの時代が到来し、製造業においても、早急にDX化を取り入れ、時代に乗り遅れないようにする動きが出てきています。Suicaは、ソニーの非接触型ICカードFeliCaの技術を用いた乗車カードで、プリペイド方式の乗車券の機能をはじめ、定期券、駅売店などでの支払いに使える電子マネーの機能を併せ持ちます。JR東日本の規約においては「ICチップを内蔵するカード等に記録された金銭的価値等」と定義されています。かつてJRグループでは、自動券売機で乗車券などの購入に使用できる磁気式プリペイドカードのオレンジカードを発売していました。GPSは、人工衛星を駆使した地理情報計測システムの名称です。地上のあらゆる地域の緯度・経度、高度が特定できる仕組みとして利用されています。GPSはGlobal Positioning Systemの略であり、直訳して「全地球測位システム」あるいは「全地球無線測位システム」などとも呼ばれます。

近年、わが国の経済状況は、一定の成長率で国際収支の黒字をなんとか継続できています。しかし、グローバルに見ると、残念ながら停滞しているといわざるを得ないでしょう。組み合わせが斬新なサービスや**ソリューション**が次々と生み出され、米国/アマゾン・ドット・コムや、米国/マイクロソフトなどは莫大な収益を上げている状況です。ソリューションとは、企業が抱えている問題を、ITシステムやビジネスモデルで解決することです。具体的には、コンサルティング会社やIT関連の企業が、顧客企業のOSも含めたシステムをカスタマイズしたり、顧客企業の経営実態などを視野に入れたり、アイデアを提供するときに、「ITソリューション」「ビジネスソリューション」という言葉が使用されます。また、彼らが提供するサービスは、我々日本人を含む多くの人々の生活を一変させました。すでに我々の生活にとっても必要不可欠な**デバイス**やサービスばかりです。デバイスとは、機器、装置、道具という意味の英単語。ITの分野では、比較的単純な特定の機能・用途を持った部品や装置という意味で用いられることが多いです。製造業・ロジスティクスも、消費者ニーズに合わせ、早急にDX化を取り入れ、時代に乗り遅れないようにしなければなりません。

加速するDXとは逆に、ITの既存システムの老朽化やブラックボックス化する中では、データを十分に活用しきれず、新しいデジタル技術の導入が難しいという問題も起きています。近年、銀行や鉄道でのシステムトラブルが相次いでいますが、背景にはこういった様々な問題が隠れています。

今後、既存のITシステムの**老朽化***や**ブラックボックス化***が進むと、いろいろな公共施設や企業・教育分野に**システムトラブル**などの発生が予見されます。

メモ **老朽化**

「建物・設備・機器などが古くなって（経年劣化して）役に立たなくなること」を意味する言葉です。

政府や企業の経営トップは、**テレワーク**の導入をきっかけに、いままでDX化にあまり興味を示してこなかった製造業・ロジスティクス業も、DX化に本格的に乗り出してきています。テレワークは、情報通信技術（ICT＊）を活用した、場所や時間にとらわれない柔軟な働き方のことです。テレワークは、働く場所によって、自宅利用型テレワーク（在宅勤務）、移動中や移動の合間に行うモバイルワーク、サテライトオフィスやコワーキングスペースといった施設利用型テレワークのほか、リゾートで行うワーケーションも含めてテレワークと総称しています。

▲サテライトオフィス

メモ　ブラックボックス化

内部構造や動作原理をさかのぼって解明できなくなることをいいますが、家電などのような操作の簡便化や情報の流出防止面などを考えれば、決して悪いことではありません。

＊ICT　Information and Communication Technologyの略。

なぜいまDXなのか

ブラックボックス化

近年、しばしば発生する、大手銀行のATMからお金が引き出せない事故は、ブラックボックス化が原因です。

◇ ITシステムのブラックボックス化

戦後の日本においては、工業化による生産性向上が進められ、高度経済成長を背景に、大量生産・大量消費といったライフスタイルが築き上げられました。工業化に大きく貢献したのは、大規模工場内の業務や、事務処理のオートメーション化でした。特に、半導体技術の**高集積化***による小型化と価格の低下は、コンピューターを共同利用するものから、DX化へと発展させました。

一方、大規模製造業の下請け製造業は、個人企業や中小企業が約80%を占めており、思うようにDX化が進められていません。積極的にDX化に取り組んでいる中小企業もありますが、数は非常に少ないです。なぜ、中小製造業は、DX化に積極的でないのでしょうか？

中小製造業では、システム開発を行ってきた人材が続々と定年退職し、ノウハウが失われ、システムのブラックボックス化が進行しています。そのことが、製造業にDXの技術を導入することを難しくしているのです。

メモ 高集積化

現在のICは、鉱石ラジオと比べると、寸法で約5万5000分の1、面積で30億分の1というサイズに小型化、高集積化されています。高集積化したことで様々な機能を積み込めるようになり、電子機器の性能が飛躍的にアップしました。

なぜいまDXなのか

ノウハウの喪失

基幹システム開発を行った人材の転職や定年退職によって、ITシステムのノウハウが喪失しています。

◇ITシステムのノウハウの喪失

第2次世界大戦（太平洋戦争）の敗戦後、日本のモノづくりは世界最大の市場を持つ米国の**サプライチェーン**の一部を担うことで、急速な回復発展を遂げました。サプライチェーンとは、製品の原材料・部品の調達から販売に至るまでの一連の流れを指す用語です。サプライチェーンの概念で特徴的な点として、自社だけでなく、他社（協力会社など）をまたいでモノの流れを捉えることが挙げられます。例えば、自社がメーカーである場合、部品メーカーや材料メーカーなどから製品の製造に利用する部品および原材料を仕入れて製造します。また販売においては、配送業者や卸業者、そして小売業者が関係するでしょう。このように、サプライチェーンでは自社の業務だけでなく、モノが製造されて販売されるまでのフロー全体を捉えます。

昭和初期の日本の製造業を支えていたのは、「職人技」に支えられたモノづくり技術でした。町工場の大半は、小規模であり、モノづくりの全工程を職人が手掛ける手工業的な生産でした。

敗戦後、日本の製造業は、米国の大量生産技術に学ぶことで、一気に発展成長することになります。生産技術は、自動車や産業機械分野で活かされ、大量生産における短納期と品質管理を大きく進化させました。特に、繊維産業で培った緻密で高度な縫製技術は、家電やハイテクなどの小型化・高機能化へと引き継がれました。1970年代以降には、高度成長期へと、日本の製造業は大きく発展しました。

1970年以前は、米国では日本製品の位置付けは低く、日本製品が米国市場で競合として認知されたのは1970年代以降です、米国の製造業は、1990年代の景気後退で大きく衰退し、代わりに、コンピューターや金融など情報産業を基幹産業として動き出しました。このタイミングで、コンピューターを利用した第3次産業革命が始まります。

これにより、結果的にコンピューター化による生産性向上の恩恵を受けたのは日本の製造業でした。その頃から、日本の製造業は、完成品を生産する大企業と、その部品を生産する中小企業というピラミッド型生産組織を生み出し、発展しました。

大企業がトップに立つことで、中小企業が苦手とする安定した需要の確保と、生産に必要な原材料や設備の手配を可能にしました。国内市場では、自動車や産業機械などで複数の企業グループが競争を展開することとなりました。

日本で実用化された第3次産業革命のノウハウや生産技術は、安い人件費と豊富な労働力を持つ中国やアジア新興国へ移行して拡大しました。

日本の製造業である「モノづくり」とITシステムのノウハウの喪失の視点から、従来の製造現場は「モノづくり＋物流」と認識されていました。一方、中小の製造業や物流企業の多くが、自社のITデジタル化を進めようとしていますが、自前のソフトウェア開発や人材育成は思うように進んでいないようです。

現在では、第3次産業革命のノウハウや生産技術から製造業に限らず、デジタル技術の活用によって企業を変革するDXが、大きな話題となっています。

モノをつくり、製造過程のデータを収集するだけでなく、出荷後の販売データやアフターメンテナンスのデータも収集していくことで、より自社クライアントや最終消費者の要望に合った製品を作るため、「モノづくり＋物流＋データづくり」がしっかり機能していくことが、いま製造現場に求められています。

しかし、大規模なシステム開発を行ってきたIT技術の人材が定年退職の時期が過ぎ、人材に属していたITシステムのノウハウが失われ、既存システムの老朽化やブラックボックス化が進んでいます。ITシステムのデータを十分に活用しきれず、多くの中小製造業がDX推進に踏み出せないのが現状でもあります。

コロナ禍と製造業

コロナショックで、生産調整や感染症拡大防止のため、相次いで、工場が稼動停止されています。

新型コロナウイルス感染拡大の製造業への影響

新型コロナウイルスの影響は、業種・業態を問わず、生産・消費活動のみならず、政治、経済、社会などあらゆる方面に及んでいます。新型コロナウイルスによって起こる市場の変容が、今後、製造業にどのような影響を与えるのかをよく調査し、アフターコロナで成長を手に入れるためには、DXは不可欠といえます。

工場の倉庫では、オペレーションを最適化するために、向こう数週間の物量を予測しています。新型コロナウイルスの影響では、物量が増えるにしても、減るにしても初めての振れ幅になるケースがあるため、先の需要予測を綿密に行なうことが不可欠です。

マーケティングから製造の工程までを簡単に図でまとめました（図表1-1）。まず、営業・マーケティング部門で、製品需要予測が行われます。次に、R&D部門で、コストや性能特性についての予測が行われ、そして製造が始まります。製造部門では、歩留まりの向上や不良品の検知などを行っていきます。

マーケティングから製造まで（図表1-1）

営業・マーケティング
計画
・製品需要予測
・製品在庫管理

R&D
・コスト予測
・性能・特性予測

製造業
・歩留まりの向上
・不良品検知

海外に見られるロックダウン（都市封鎖）や移動制限などにより、全世界でほぼ一斉に多くの製品需要が消滅しました。

部品・部材の供給不安で、いくつかの製造業では工場の操業停止に追い込まれました。不確実性の高い時代に求められるのは、環境の変化に柔軟に対応する企業変革力とDXの推進力です（図表1-2参照）。

新型コロナウイルスが製造業全体の機能を脅かす流れ(図表1-2)

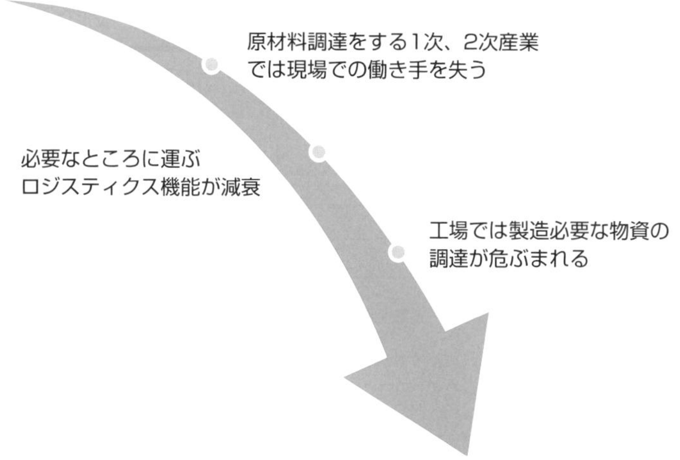

海外ロックダウン（都市封鎖）や移動制限から、多くの製品需要が消滅し、その対応もしくは、部品・部材の供給の不安定で、いくつかの製造業では工場の操業停止に追い込まれます。

新型コロナウイルスの影響から、突然、先の見えない操業停止に追いやられ、特に中小の製造業にとっては、会社存続の危機に立たされているところもあります。特に、部品・部材の供給の不安定さから、キーデバイスを製造しているメーカーがある日突然倒産し、製品の生産が立ち行かなくなることもあります。製造業の中には、**リスクマネジメント**＊を専門に行う部門がありますが、ここでは、それらのリスクを日々モニタリングしています。また、PCR検査を積極的に行うなど、課題は多く、優先順位をしっかりつけていくことが望まれます。

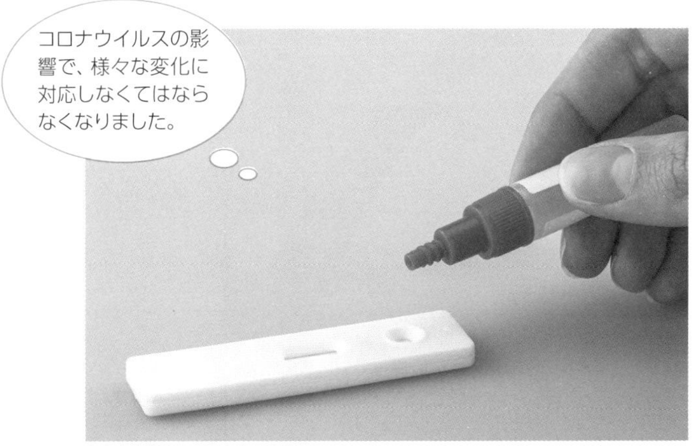

メモ　リスクマネジメント

リスクマネジメントとは、組織を取り巻くリスクを網羅的に把握し、重要と思われるリスクを抽出した上で、対応策を講じる事前策とリスクが顕在化したときの緊急時対応である事後策（クライシスマネジメントや危機管理ともいわれます）を併せたものを意味します。

DXにおけるAIの役割

AIはデータに対する「認識」と「予測」を得意としています。AIは、人間が手作業で確認しなければならなかった作業を自動で処理できます。

AIで何ができるのか

AIは、データに対する「認識」と「予測」を得意としています。画像や音声のような既存の技術ではうまく認識できなかった情報を扱うことができ、過去のデータをもとにした将来の高精度な予測が可能です。

AIのDataRobotは、世界トップクラスのデータ・サイエンティストの知識とノウハウが組み込まれたエンタープライズAIプラットフォームで、機械学習の予測モデル構築に圧倒的な強みを持ち、2,000種類ものモデルの中からデータセットに応じた最適モデルを提供します。このDataRobotの最大の特長は、特徴量の検出や生成、モデルの構築、デプロイ（業務への適用)、メンテナンスといった機械学習に必要なプロセス全体を自動化できることで、これまでデータ・サイエンティストが行っていた高度な作業を、AIを活用して実行できるようになります。

これによって、企業の誰もが機械学習を使ったデータ活用を行えるようになり、データサイエンスの民主化を実現すると共に、データの活用によってより大きなビジネスのインパクトと成果を生み出せるようになります。AIは、これまでは人間が手作業で確認しなければならなかったデータを自動で処理することや、顧客ニーズを勘に頼らず客観的な数字から予測できるようになります。

AIは、DXを実現するためのデジタル技術、すなわち「道具」といえます。DXの実現を助けるAIは、膨大なデータを取り扱い事業に役立てる存在として期待されています。DXがなぜ必要かといえば、「爆発的に増加し持て余しつつあるデータの有効活用」のためです。従来の技術では扱いきれないほどのデータを処理し、多方面からビジネスを発展させていくのがAIの役割なのです。

コラム

非接触型ICカード技術

コロナ禍で、貨幣から電子マネーへの利用が促進され、私たちの日常生活で欠かせない技術の1つとなっている非接触型ICカードの技術とそのセキュリティシステムについて見ていきます。

非接触型ICカード（non-contact type IC card）は、内蔵されたアンテナに微弱の電波を通し、接触せずに無線で情報を読み書きができる近接型のICカードのことです。「デジタル大辞泉」によれば、「カード内部にICやLSIのほかにアンテナを内蔵し、電波を利用して各種データの送受信する」と説明されています。

現在は主に身分証などのIDカード認証や交通機関の「Suica（スイカ）」や「PASMO」といった鉄道およびバス路線のプリペイドカード、電子マネー決済の技術として広く普及しています。

非接触ICカードは、磁気カードに比べて偽造しにくい高いセキュリティの精度をもち、正規のIDであることを証明する「Identification」機能を備えています。

非接触型ICカードの構造と動作（図1）

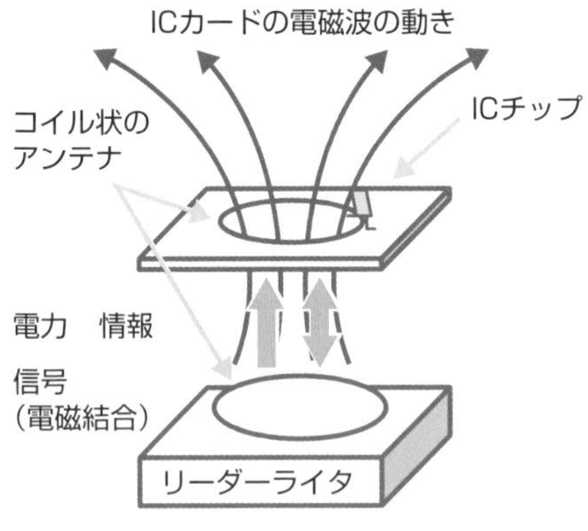

その他ISO/IEC14443で規定されているカードサイズは85.6×54.0×0.76mmの大きさ（ID-1）に準拠されています。技術が標準化されると、同一規格に合わせた関連機器や新しい製品サービスを提供しやすくなる利点も指摘されています。（※1）

ほかにも財布やケースに入れたまま、立ち止まることなく速やかに機器にかざして認証できるなど利便性が認識されています。

非接触型ICカードの構造は、通常0.45〜0.76㎜の厚さのプラスチック機材のカードの中に、情報の記録や処理をするICチップ（集積回路IC*、大集積回路LSI*）とコイル状のアンテナにより、読み取り機であるリーダーライタ内に組み込まれたアンテナとカードを向き合わせることで、お互いに、電磁波を発しカードとの通信を可能にします（図2）。

現在、主流となっている近接型カードは、通信および電力供給の電磁波の帯域で13.56MHz帯（HF帯）を使い1〜10㎝程の距離でリーダーライタと通信が可能になっています。

非接触型ICカードの機能構成（図2）

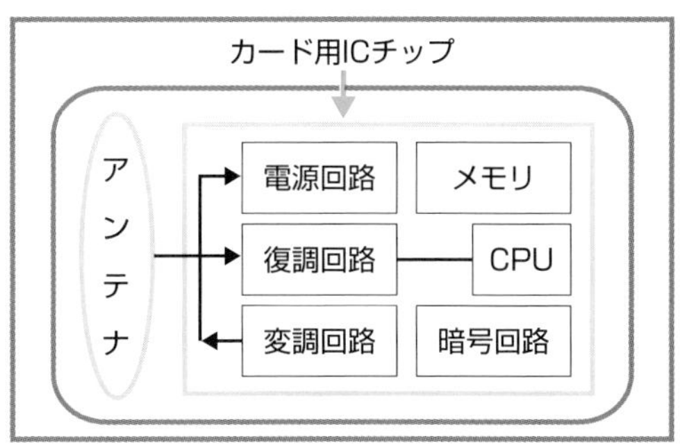

出所（※2）一般的な非接触型ICカードの機能を一部改訂

*IS　integrated circuitの略。
*LSI　large-scale integrationの略。

非接触型ICカードは、電磁波を用いて通信を行うことから、電波を盗聴されるリスクは否めません。また、電波を飛ばして通信しているため、何らかの不具合で、通信途中で電源が中断し内部の機器の一部を破損することも起こり得ます。

そのため盗聴のリスクに対してはカードとリーダーによる通信開始時の認証やセキュリティ対策として情報の暗号化を用いて対処し、中断のリスクにはトランザクション処理機能を保障する機能（通信を完全に終了させる・途中の痕跡を残さない対処）およびハードウェア診断回復機能をあらかじめ実装することで安全に使用できるようになります。

一般的なセキュリティシステムには3つの機能があります。

①識別[Identification]
②認証[Authentication]（a.本人認証 b.内部認証 c.外部認証）
③許可[Authorization]

です。これらをふまえてICカードの機能を分類すると、

①「識別」で使用される非接触型ICカードでは、チップに格納されているID情報をシステムが読み込み確認します。
②「認証」サービスでは、本人が正当な所有者であることを認証します。個人識別番号PIN[Personal Identification Number]を入力させたり、指紋や虹彩（網膜）などの生体識別情報を用いて認証を行う方法やカードから生体識別情報を取り出して認証したりする方式も採用されています。内部認証[Internal Authentication]はカードが正当なもの（偽造や盗難ではない）であることを認証します。
外部認証[External Authentication]では、カードにアクセスする装置が偽造されていない正当なものであることを、乱数を用いて暗号演算して検証する方式が定められています。
③認証され、「許可」された本人認証をする仕組み。

ICカードにおける認証の一般的な流れ（図3）

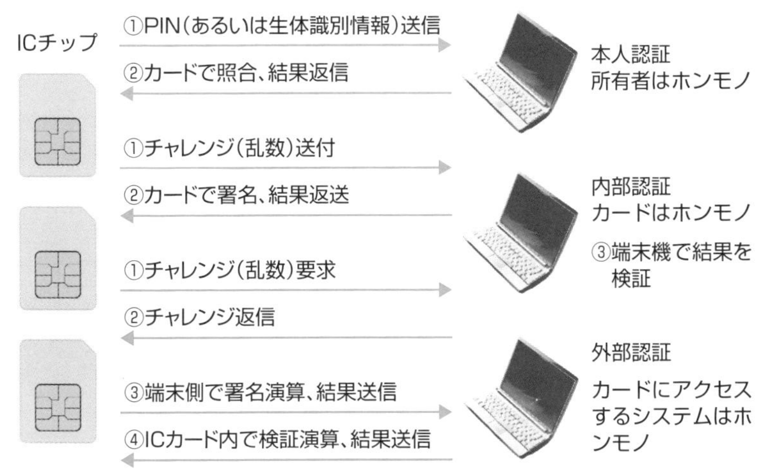

出所　NTTサービスインテグレーション基礎研究所「第1回技術基礎講座　非接触ICカード技術」(2008)

NTTサービスインテグレーション基礎研究室のジャーナル (2008) (※2) 図3によると、認証の仕組みにより、ICカードでは内部のデータの不正な読み出しや改ざんが困難な性質上、セキュリティを確保するサービスにおいて、ますます期待が高まるでしょう。

そのほか、物流システムの商品管理に不可欠な個々の荷物のタグ付用のIDデバイス (識別素子) などの技術が導入され商品のトレーサビリティを確保し、消費者に安心・安全の情報の提供を可能にしています。

本コラムでは、非接触型ICカードの仕組みとセキュリティについて見てきました。今後はさらに、非接触型ICカードの技術を応用した、高機能化や薄型化、多様な形状に伴う技術開発も進んでいくでしょう。一層のセキュリティ対策と共に、様々な市場でこれらの技術を活用した新しいサービスやさらなる技術革新が期待されます。

※1　坂川義満「話題の技術ーＩＣカードの技術解説」(株) トーキン第３生産事業本部

※2　NTTサービスインテグレーション基礎研究所「第1回技術基礎講座　非接触ICカード技術」NTT技術ジャーナル2008.1

テレワーク導入とDX

コロナ禍で、テレワークという新しい働き方が浮上してきました。テレワークとDXについて説明していきます。

テレワークの可能性

新型コロナウイルス感染症の影響で、海外ではロックダウン（都市封鎖）や移動制限が行われるなど、働き方に変化が生じました。情報通信技術を利用して、場所・時間にとらわれない新しい働き方、テレワークが浮上してきました。テレワークは、製造業においては、工場のサテライトオフィスや生産システムで導入されています。工場のサテライトオフィスでは、生産装置の操作やハードウェアに関して活用されています。生産システムにおいては、データの分析や集計、検収で活用されています（図表1-3）。

テレワークを導入する企業の大幅な増加により、社内のITインフラ設備に迅速に対応できた企業とできなかった企業との間に格差が生じ、デジタル競争における勝者と敗者の明暗が明確に分かれました。

テレワークの推進（図表1-3）

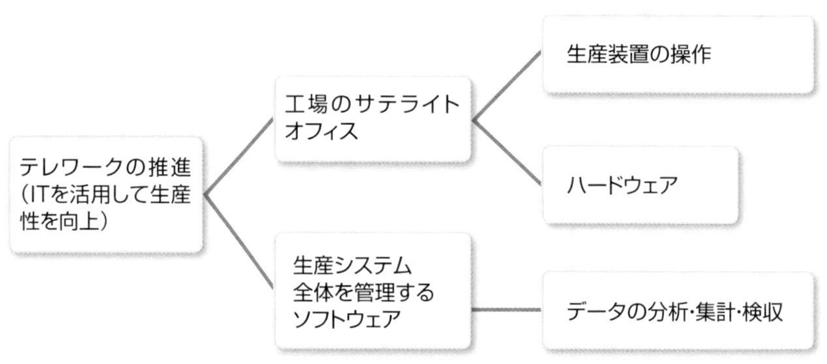

製造業DXの現状と課題

製造業DXの現状と問題点を挙げ、各企業がどのように対応しているかを具体例を挙げながら紹介していきます。

製造業DXへの取り組みの現状

DXを実施しても成果が出せない企業が多いのが実情です。DXを推進する際の課題や現状について説明します。

テレワークの普及で分かれる勝者と敗者

日本の製造業では、大企業よりも中小企業の方が重要な役割を担ってきました。しかし、中小製造業では、思うようにDXが進んでいないようです。何がDXの推進を阻んでいるのでしょうか。その原因は、製造業の**企業文化***という固定観念と、ITシステムの規模の差にあると思います。

中小製造業では、付加価値の創出や、新しいビジネスモデルを構築するため、DXを推進していますが、コストをかけたにもかかわらず、それほど効果が実感できていない、というのが現状です。中には、DXに資金を導入するだけの余裕がない中小製造業が多いという現状もあります。また、各工場の個別部門ごとにシステムの最適化を優先してきたため、企業全体で共通化したシステムの最適化が図られていません。

その結果、システムが複雑となり、製造現場の現実と収集・分析したデータが一致せず、企業全体での情報管理・データ管理を行うのが困難になっています。

メモ 企業文化

従業員と企業との間で共有している価値観や企業規範のことです。企業文化は、企業のこれまでの歩みや経営方針、実績などを積み上げていく過程で培われるもので、いわば代々の経営者たちの考え方です。

そのため、**AI**や**IoT**、**クラウド**などの最先端の新しいシステムを導入しても、その基盤になる各工場の製造ラインの活用や連携が限定的となり、DXを実施しても、思うような成果を出せません。AIとは、artificial intelligenceの略で、計算という概念とコンピューターという道具を用いて知能を研究する計算機科学の一分野を指す語です。「言語の理解や推論、問題解決などの知的行動を人間に代わってコンピューターに行わせる技術」、または、「計算機（コンピューター）による知的な情報処理システムの設計や実現に関する研究分野」です。IoTとは、モノのインターネット（物のインターネット、Internet of Things；IoT）のことで、様々な「モノ（物）」がインターネットに接続され（単につながるだけではなく、モノがインターネットのようにつながる）、情報交換することにより相互に制御する仕組みです。クラウドとは、一言でいうと「ユーザーがインフラ（サーバーやストレージ、ネットワークのこと）やソフトウェアを持たなくても、インターネットを通じて、サービスを必要なときに必要なぶんだけ利用する考え方」のことです。クラウドは、クラウドコンピューティングと呼ばれることもあります。

特に、1970年代から、企業は生産拠点を海外工場に移転していることが重なり、各国の工場のシステムを連携して活用ができないという課題があります。

その他、DX化を阻む要因としては、**ユーザー企業***と**ベンダー企業***の**レガシー化**、会社の有職者の退職などによるシステムのノウハウの喪失、システムのブラックボックス化などがあります。ユーザー企業とは、開発した情報システムやソフトウェアを利用する企業を言います。開発受託企業にシステム開発を依頼、発注する企業のことです。日本の企業や官公庁などの多くは、情報システムや業務用ソフトウェアを自社用に独自開発する場合、開発業務を組織内で（すべては）行わず、コンピューターメーカーやシステムインテグレータなど専門の開発会社に委託し、納品されたシステムを使用しています。その際、開発業務の受注企業側から見た発注元、すなわち完成した情報システムを利用することになる企業のことをユーザー企業と呼びます。ベンダー企業とは、販売会社のことです。簡単にいうと、製品を消費者・ユーザーに届ける役割をする会社のことで、別名「ベンダー」とも呼ばれます。IT業界のみならず、食品業界などほかの分野でも使われる用語です。ちなみに、自動販売機（ベンディングマシン）の設置・運営会社のこともベンダーと呼びます。メーカーとベンダー双方の役割を持つ企業もあります。アイリスオーヤマなどが代表的な例でしょう。アイリスオーヤマはメーカー（製造）とベンダー（問屋）の機能を併せ持つことで、多くのメリットを生む独自の業態を作り上げました。レガシー化とは、本来「資産」や「代々受け継いできたもの」という意味があります。もともとは悪い意味ではありませんが、情報システム用語で「レガシーシステム」と使う場合は「古くなった時代遅れのシステム」という否定的な意味になります。中小製造業がせっかくDX化で、付加価値の高い製品を作っていこうと方針を立てても、世界市場で勝ち残るためには、現状では数えきれない多くの課題や問題があります。

メモ

ユーザー企業とベンダー企業

ユーザー企業は、業務上ITシステムを必要としますが、専門的な知識が必要なIT投資については、ベンダー企業へ委託することで、コストを削減できます。

デジタル・ディバイド

DXの推進を滞らせている原因の1つ、大企業と中小企業との間のデジタル・ディバイドについて詳しく見ていきましょう。

ビジネスの変革を図るDX*

DXは、「デジタルテクノロジーを取り入れることでビジネスの変革を図ること」と定義されますが、わが国では、大企業と中小企業との間のいわゆる「デジタル・ディバイド（情報格差）」が懸念されています。デジタル・ディバイドは、英語でdigital divideと書きます。パソコンやインターネットなどの情報技術（IT）を利用する能力、およびアクセスする機会を持つ者と持たざる者との間に、情報格差が生じることで、特に、個人経営の企業や中小企業の製造現場によく見られます。

DXは、デジタル・トランスフォーメーション（Digital Transformation）の略語で、直訳すると「デジタル変換」となりますが、具体的に何をするのかよくわらないという人も多いと思います。経済産業省の発表している「DX推進ガイドライン Ver1.0」に詳しく書かれているので、詳しくご紹介しましょう。

経済産業省では、2018（平成30）年5月に「デジタル・トランスフォーメーションに向けた研究会」（座長：青山幹雄南山大学理工学部ソフトウェア工学科教授）を設置し、ITシステムのあり方を中心に、わが国の企業がDXを実現していく上での現状の課題の整理とその対応策の検討を行い、『DXレポート～ITシステム「2025年の崖」の克服とDXの本格的な展開～』として報告書にまとめ、2018（平成30）年9月7日に公表しました。

＊経済産業省『DXレポート～ITシステム「2025年の崖」克服とDXの本格的な展開』
https://www.meti.go.jp/shingikai/mono_info_service/digital_transformation/20180907_report.html

「DX推進ガイドライン」は、「DXレポート」での指摘を受け、DXの実現やその基盤となるITシステムの構築を行っていく上で経営者が抑えるべき事項を明確にすること、取締役会や株主がDXの取り組みをチェックする上で活用できるものとすることを目的としており、(1) DX推進のための経営のあり方、仕組みと、(2) DXを実現する上で基盤となるITシステムの構築の2つの章から構成されています。同時に公表された「攻めのIT経営銘柄2019」においても、本ガイドラインの観点を踏まえて選定を行っていくこととしています。このガイドラインが、各企業がDXを実行していく上で、大いに役に立つことが期待されます。

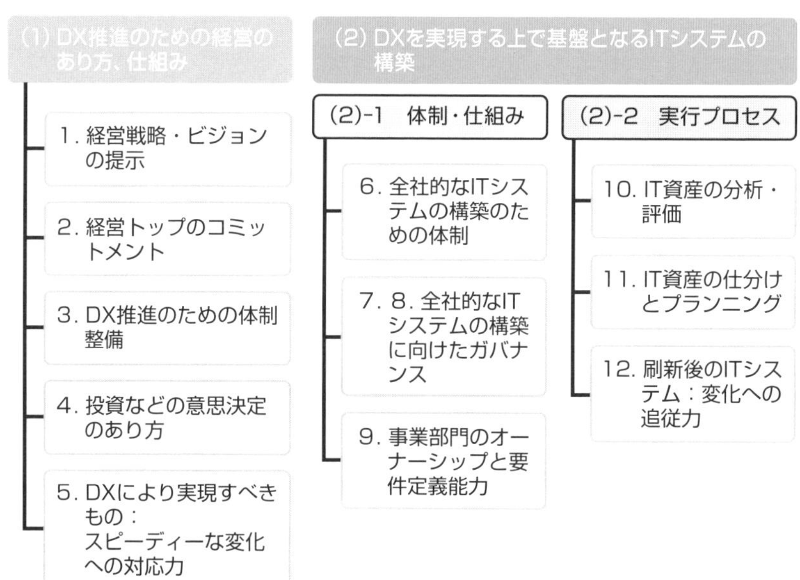

デジタル・ディバイドの解消に向けて

デジタル・ディバイドが生じる原因としては、ブロードバンド整備にかかるコストの問題や、人材不足、地方部の少子高齢化など様々な複合的な問題が絡んでいるため、すぐに解決できるようなものではありませんが、原因を究明し、ひとつひとつ解決に向けて前進することが必要です。

経済産業省は「DX推進ガイドラインVer.1.0」で、DXを、「IT技術やデータの活用によって製品やサービス、ビジネスモデルを変革して競争力を優位にしていくこと」と定義しています。

DXでは、単純に企業のIT化を進めることだけではなく、次の図で示したように、これまでのビジネスのあり方を見直すことも大切です。

DXの推進、経営、システム構築まで(図表2-2)

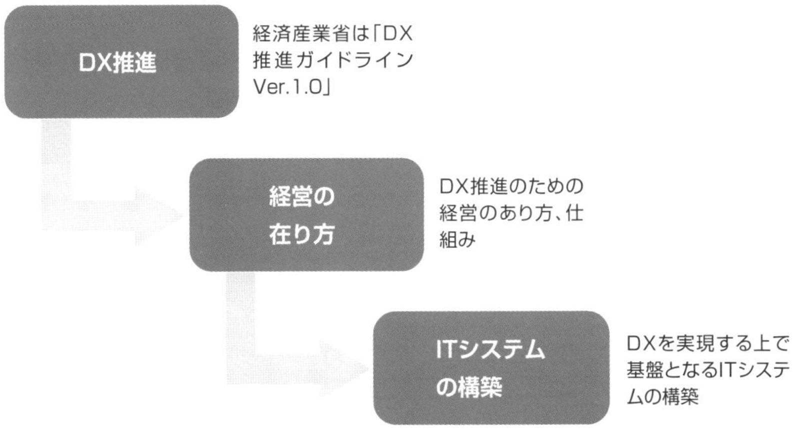

DX推進	経済産業省は「DX推進ガイドラインVer.1.0」
経営の在り方	DX推進のための経営のあり方、仕組み
ITシステムの構築	DXを実現する上で基盤となるITシステムの構築

IT化とDXとは違う

DXによく似た言葉で、IT化、デジタル化といった言葉があります。同じようですが、明確な違いがあります。

◇IT化？ デジタル化？ DX？

DXと混同されやすい用語として、IT化やデジタル化などの用語があります。DXはこれらと何がどう異なるのか？　説明していきましょう。

DXは、これまでも申し上げてきたように、「最新のデジタル技術を駆使して業務上の課題を解決し、新たなビジネスモデルを生み出すこと」を意味しています。IT化は、「自社の業務をIT技術によって効率化・自動化して課題を解決すること」と定義されます。

業務のIT化・デジタル化・DXの比較図（図表2-3）

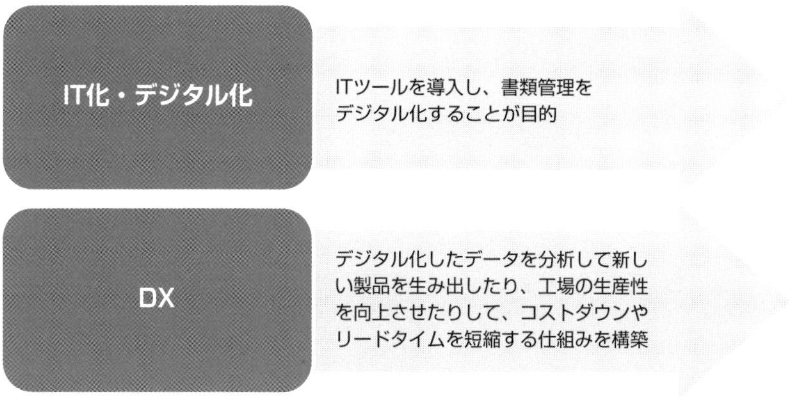

IT化・デジタル化	ITツールを導入し、書類管理をデジタル化することが目的
DX	デジタル化したデータを分析して新しい製品を生み出したり、工場の生産性を向上させたりして、コストダウンやリードタイムを短縮する仕組みを構築

例えば、紙帳票をデジタル化するだけであれば、IT化・デジタル化に該当しますが、DXは、紙帳票をデジタル化したデータを分析して、新しい製品を生み出したり、工場の生産性を向上させたり、コストダウンやリードタイムを短縮する仕組みを構築します。

環境変化への対応策

コロナ禍で働き方を大きく変えなければなりませんでしたが、すべての企業がこの動きについてこられたかというと決してそうではありませんでした。

環境変化への対応策

テレワークをはじめ、工場や社内のITインフラや就業規則等を迅速に対応し、コロナ禍の環境変化に対応できた製造業の企業と、できなかった企業との格差が拡大しています。製造現場においては、ITシステムのみならず、企業文化の固定観念の変革に踏み込めるかどうかが分かれ目となるようです。コロナ禍の対応策として、次に挙げる3点があります。

働き方の転換

コロナ禍で、休業や生産の減少に伴う人員調整や経営の悪化に伴う労働者の解雇が生じました。また、感染拡大防止のための国や各都道府県の外出規制等の措置を受けて、多くの企業で、在宅勤務・テレワーク、時差通勤、**テレビ会議***、**オンライン***研修の実施など、従来の慣行から脱却した「働き方」を模索し、様々な企業で業務変革に向けたチャレンジが続けられています。

メモ　テレビ会議

ISDN回線や専用回線を使って遠隔地の相手とリアルタイムで送信されるカメラの映像を見ながら会話するシステムのことです。1対1だけでなく同時に複数の相手とも接続できます。

メモ　オンライン

ネットワーク（主にインターネット）につながっている状態のこと、もしくは、SNS・オンラインゲームなどのwebサービスにログインしている状態のことです。基本的にパソコンやスマートフォンなどの端末を使用する際に使われる用語です。

事業モデルの転換

製造業などのモノづくり関連企業でも、グローバル・サプライチェーンの変化を受けて、国内回帰や感染拡大から生まれた新たな消費ニーズに対応するための事業モデルの転換が試みられています。職場における人の接触・密集の回避などの感染予防策と両立しうる事業継続・操業再開のあり方も模索されており、感染症の影響により、経済社会環境は大きく変容し、モノづくりに関わる製造業界にも大きな変革が求められています。

モノづくりの転換

新型コロナウイルスの感染問題とうまく付き合いながら、経済発展に貢献できる仕組み作りに向け、モノづくりの新たな流れの再構築とデジタル化やリモート化の加速などの変化に対応する動きもあるようです。

DXは、単純に企業のIT化を進めていくだけでなく、既存のITシステムがDXを本格的に推進する際の障害となる**システム老朽化**、**ブラックボックス化**＊の技術的負債を解消することもできます。システム老朽化については、機能面、スペック面にも問題を抱えており、そのせいで処理速度が遅くなってしまう傾向があります。高速なシステムと低速なシステムでは、当然ながら前者の方が業務効率化につながります。加えて、低速なシステムの場合は「システムを使わず手でやった方が早い」となってしまう恐れもあります。もう1つのリスクとして挙げられるのは、セキュリティの脆弱性です。寿命を迎えたシステムはすでにアップデートが終わっているものも多いため、その場合は新しく発見された脆弱性に対応できていません。また、ブラックボックス化とは、利用者が内部構造や動作原理を知らなくても支障がない設計の装置やソフトウェア、システムなどのことで、対象の内部構造などがわからないことを前提として、入力と出力のみに着目する考え方です。これまでのビジネスのあり方をデジタルテクノロジーの導入によって段階的に見直しするという考え方です。

製造業では、次の図のように①変化に対して柔軟に対応できる生産ラインの実現、②製品の設計や開発、③製品を活用したサービスの提供など、製品の生産における過程だけでなく、製造業に関わるすべての業務においてデジタルテクノロジーの導入と活用が求められています。

新型コロナ時代デジタル化の対応策(図表2-4)

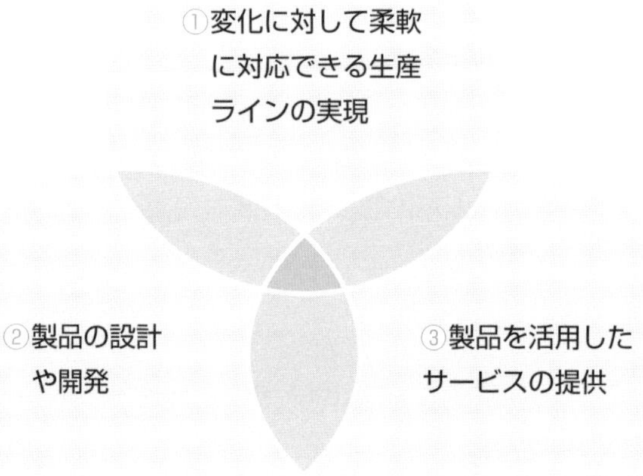

①変化に対して柔軟に対応できる生産ラインの実現

②製品の設計や開発

③製品を活用したサービスの提供

メモ ブラックボックス化

業界や業種を問わず、大きな課題となっています。企業文化によって、「その人がいないと分からない」という状況を放置すると、ブラックボックス化は知らない間に進行していきます。

05 製造業DXの現状と課題

既存のITシステムとDX

DXを実現するにあたって、旧来のシステムを無視することはできません。どんな問題点があるのでしょうか。

既存のITシステムをめぐる問題点

既存のITシステムをめぐる問題点として、

1. 最新のデジタル技術に詳しい人材の不足
2. 既存システムの老朽化
3. 既存システム刷新のコスト
4. レガシー問題の先送り

などがあります。これらの課題に取り組まない限りは、DXを本格的に推進することは難しい場面も生じてくると考えられます。詳しく見ていきましょう。

最新のデジタル技術に詳しい人材の不足

DX推進には、AIやIoTといった最新のデジタル技術に詳しい人材や、デジタル技術を活かした新たな事業・サービスを企画できる人材が必要です。しかし多くの企業では、自社での人材育成が遅れている上に、社外から確保することも困難という厳しい状況です。

既存システムの老朽化

現行のシステムは老朽化し、技術面でも機能面でも限界を迎えつつあります。また、事業部門ごとにそれぞれの最適と判断して、異なるシステムを設置したために、企業全体での**データ管理**や連携ができず、DXが思うように進められない状況にあります。データ管理とは、データを管理する活動のことを指します。データをビジネスに活かすことができる状態で継続的に維持、さらに進化させていくための組織的な営み、データを「経営戦略を決定する上での重要な資産」と捉え、意思決定のために常時利用可能な状態に改善・維持することです。

しかし、こういった状況下では、データを十分に活用しきれず、新しいデジタル技術を導入したとしても、データの利活用・連携が限定的であるため、その効果も限定的となってしまうという問題も指摘されています。

さらに、既存のITシステムがビジネスのプロセスに深くつながっていることが多いため、既存システムの問題を解消しようとすると、ビジネスのプロセスそのものの刷新が必要となりますので、昔ながらの企業文化がある製造現場では抵抗があり、いかにここを乗り越えて実行するかが課題になっています。

既存システム刷新のコスト

製造業の企業ではレガシー問題を抱えていることに気付きづらい状況があります。これは**潜在的問題**＊と呼ばれています。潜在的問題には、発生型、設定型、潜在型の3つがあります。潜在型は、また表面化していないが、これから発生する可能性がある問題をいいます。反対に、顕在的問題は、いま実在する問題のことです。長年に渡りシステムのメンテナンスを定期的に行わず日常的に活用できている間は、レガシーであることは自覚されていません。既存システムの運用に何度もシステムトラブルが起きて、システムを見直す事態になってはじめて、レガシー問題を抱えていることに気付くという特徴があります。

次に、既存システムの運用、保守に多くの資金を費やして、人材が割かれ、新規にITデジタル技術を導入するために、多額の資金を振り分けることができないといったマネジメントの問題もあります。

メモ **潜在的問題**

反対の言葉として、顕在的問題というものがあります。すでに人々が意識している、認識している問題です。

ハードウェアやパッケージの維持に限界がきたときにはじめて発覚して、解消しようとしても、長い期間と大きな費用を要する上、手戻りなどの失敗のリスクもある中で、根本的にシステム刷新をする**インセンティブ**＊が生じにくいのです。

下記に記載した参考資料「システム刷新に要するコスト等の例」からもわかるとおり、多額な資金が必要になっています。既存システムが老朽化・複雑化・ブラックボックス化の問題を放置した場合、今後、ますます運用・保守などのコストが高騰し、技術的負債が増大すると共に、既存システムを運用・保守できる有職者の定年退職や他社への転職によって、人材が枯渇し、セキュリティ面からのリスクが高まることも懸念されます。

参考資料：システム刷新に要するコスト等の例＊

事例①（運輸業）：7年間で約800億円をかけて、50年ぶりに基幹システムを刷新し、運用コストの効率化・生産性の向上につなげた。

事例②（食品業）：8年間で約300億円をかけて、30年以上利用していたシステムを刷新し、共通システム基盤を構築した。

事例③（保険業）：約25年経過した基幹システムを、経営陣のプロジェクトのもとで、4～5年で約700億円をかけて、ITシステム刷新を断行した。

＊上記のコストは経済産業省のDXレポートの資料を参考に作成

メモ インセンティブ

奨励金、報奨金を意味します。企業では、特別な貢献をした社員に給与以外に支払われる「インセンティブ」を用意するなどして、社員の働く意欲を刺激し、事業活動を活発化させることを目的としています。

レガシー問題の先送り

製造業の企業に潜んでいるレガシー問題の発見は、ベンダー企業にとっても容易ではありません。ベンダー企業から見ても、新規案件として改修を受注する段階では、既存システムがレガシー問題を抱えているかどうかは判断しにくいのです。DXの推進を妨げているのは、既存システムの管理面から、過去の「放置」と「怠慢（手抜き）」などがあるといえます。

製造業の企業には、レガシーについての自覚がないため、**提案依頼書***にも特に記載されません。そのため、改修を請け負ったベンダー企業側では、レガシー問題の前提の見積もりはされずに、開発を開始したあとに、はじめて発覚するといったことが起こっています。

レガシー問題に対応する作業は、コストが莫大で、長期にわたります。中小製造業の企業はほとんどの場合、現状の業務を大きく変更するわけではないので、システムの価値は高められますが、経営者からは価値が見えにくいです。将来的なリスクはあっても説明しにくいのです。現状は問題なく稼働しているため、誰も困っていないというのが現状だと思いますが、その結果として、レガシー問題を先送りにしてしまう傾向があります。改修プロジェクトは比較的長期を要し、かつコストも安くはないためです。

メモ **提案依頼書**

企業が情報システムを発注する際に、発注先に提示するドキュメントのことです。提案依頼書には、予算、スケジュール、開発範囲や要求仕様などが明記されており、これを踏まえて発注先のベンダーが提案書を作成して提示します。

コラム

提案依頼書(RFP*)

はじめに用語の理解を深めていきましょう。「IT用語辞典」には、RFPとは、「情報システムの導入や業務委託を行うにあたり、発注先候補の事業者に具体的な提案を依頼する文書。システムの目的や概要、要件や制約条件などが記述されている」とあります。言いかえるならば、クライアントの要望を文書化したものが、「提案依頼書(RFP)」です。そしてシステム提案書の最も重要な目的は、古いシステムから新しいシステムの導入にあたって、制約条件や前提条件を踏まえてクライアントの要望を反映した「ベンダーによる提案書」を策定し、納得と共感を促し採択されます。

案件を着実に受注するためには、システム開発の「何が重要なポイントであるか」や「導入システムの性能比較」は何であるかを明解にし、顧客の納得と安心を得られるシステム化方針を策定することが不可欠です。

さらに、「ベンダーによる提案書」の持つ役割としては、システム開発に関する基本的な事項について、顧客との認識が一致しているかどうか、受注システムの範囲、開発期間・納期、開発コスト、前提条件などについても、具体的に文書化し、明らかに記載しておくことが望まれます。

クライアントとSEの間で共通認識のもと、新システム要件の性能をわかりやすく説明し、要件の漏れがないかなど、詳細に確認しあうことで、現場ユーザーの要望とのズレを解消することができます。

「ベンダーによる提案書」では、クライアントが作成した提案依頼書のRFP*を受け、正確性の高い見積もりを作成するためには、システム要求の各項目に対して、具体的に回答することが重要になります。

*RFP Request For Proposalの略。

提案書の項目は個々の実情に合わせて補完しますが、一般的な内容は以下の図表のとおりです。

提案依頼書、提案書の主な内容(図表2-5)

クライアントによる「提案依頼書RFP」の主な内容	ベンダーによる「提案書」の主な内容
①提案依頼の趣旨 ②会社概要・事業内容 ③システム選定プロジェクトの概要(プロジェクトの目的やシステム構築方針、システムの範囲など) ④提案の前提条件、選定スケジュール、条件など ⑤提案要件(提案要件、システム機能要件、システム利用環境、セキュリティ要件、インターフェース要件、データ移行要件、運用要件、研修、保守・障害対応要件など) ⑥提案依頼事項(提案可能範囲、システム導入計画、見積) ⑦提案依頼要領(提案概要、スケジュール概要、質疑応答、提案書の提出やプレゼン、システムデモンストレーションの要望事項)	①システム導入の趣旨(システム導入の背景・システム導入の目的・効果) ②実現にむけての方針・方策・方法 ③システム導入の対象となる組織・業務の範囲・領域 ④導入するシステムの構成要素 ⑤システム導入後の業務フロー ⑥システムの提案・機能要件(品質、性能) ⑦開発するシステムの範囲 ⑧開発プロジェクトの進め方 ⑨顧客に納入する成果物 ⑩システム導入・開発体制、責任者の明確化 ⑪開発スケジュール ⑫コストの見積もり ⑬契約に関する情報(運用確認事項・例外規定)

複数社との選定になる場合は、システムの性能比較ができる要素にもなります。フォーマットの形式に沿って作成することで、顧客は性能を比較しやすくなるので、ぜひ心に留めておくとよいでしょう。

ユーザー企業とITベンダー企業

製造業のユーザー企業とITベンダーの役割と課題について説明していきましょう。

ユーザー企業

この項目では、ユーザー企業とITベンダー企業の役割について触れながら、DXを本格的に展開することの難しさについて触れてみたいと思います。

デジタル業界では、製造業の企業が工場で使用するために開発した情報システムやソフトウェアを利用することを目的として契約を交わした企業の依頼主をユーザー企業と呼びます。

ユーザー企業は、開発受託企業にシステム開発を依頼、発注します。中小企業の製造事業所、工場や官公庁などの多くは、情報システムや業務用ソフトウェアを自社用に独自開発する場合、企業内で開発業務を行わず、コンピューターメーカーやシステムインテグレータなど専門の開発会社に委託し、納品されたシステムを使用しています。

その際、開発業務の受注企業側から見て、完成された情報システムを利用する企業をユーザー企業と呼んでいるのです。ユーザー企業側から見た発注先の開発会社のことをITベンダーとか、**システムインテグレータ**と呼んでいます。

企業によっては、システム部門やITシステム担当人員がおり、ITシステム担当者は開発の発注前に必要となるシステム化の企画や発注先の選定、発注条件の交渉や手続き、**要件定義**などに必要な情報提供、納品された**システムの検収**（ユーザー受け入れテストの実施）、稼働後の日常的な運用業務、社内のシステム利用者に対する窓口（運用や利用者対応の一部は外注されることもある）などを担当します。要件定義とは、システムやソフトウェアの開発において、実装すべき機能や満たすべき性能などを明確にし

＊**システムインテグレータ**　企業や行政の情報システムの構築、運用などの業務を一括して請け負う事業者のことです。そのような事業のことをシステムインテグレーション（SI＊）といいます。（IT用語辞典）

＊**SI**　System Integrationの略。

ていく作業のことです。いわゆる上流工程の一部で、実際の開発・実装作業を始める前に行う作業の1つです。要件定義では、利用者がそのシステムで何がしたいのかをもとに、それを実現するために実装しなければならない機能や、達成しなければならない性能などを開発者が検討して明確にしていきます。まとめられた成果は「要件定義書」として文書化されることが多いです。一般的にこの段階では「何が」必要なのかを定義するに留め、それを「どのように」実現するかはあとの工程で検討されます。主に利用者側の視点から業務手順を明確化して分析し、情報システムで何がしたいのかをまとめる工程と、これをもとに開発者側の視点からシステムが何をすべきか、何が必要かをまとめる工程に分割して考える場合もあり、前者を(狭義の)要件定義と区別して要求定義と呼んだり、両者共要件定義内の工程として業務要件とシステム要件と呼び分けたりします*。

また、納入品が発注どおりになっているか検査して受け取ることをシステムの検収といいます。品物の種類や数量、破損の有無、機器の動作確認などを行って品物を引き取ります。また、コンピューターのシステム開発を外注したときに、納品されたシステムを検証することも含みます。情報システム開発の委託の場合は、受注者によるシステムの開発が終わり、発注者側に構築されたシステムに対して、発注側の人員や責任において稼働試験を行うことが多いです。これを「受け入れテスト(UAT*)」と呼び、これに合格すると納品されたシステムの検収完了となります。

*参考 「IT用語辞典」
***UAT** User Acceptance Testの略。

ITベンダー企業とシステムインテグレータ

ITベンダー企業は、IT製品を扱う販売会社のことです。具体的には、ITに関わるシステム、ソフトウェア、製品およびサービスなどをユーザーに対して販売する企業を指します。なお、販売するものについては、自社開発品だけに限らず、他企業の製品を販売している企業もあります。

システムインテグレータとは、システムの開発から支援までを行う企業です。情報技術分野において、ユーザーに合わせたシステムの企画に始まり、設計、開発、そしてその運用と支援といった一連の業務を一括で請け負う企業を指します。一般的な支援としては、保守の観点からも運用にあたっては現場に出向きます。ITベンダーが扱うものは、種類、業態など、企業各社によって様々です。日本の主要なITベンダーの9社の特徴を簡潔に企業名リストとして掲載します。

日本の主要ITベンダー9社の企業名リスト

●日立製作所

家電とITを組み合わせたIoTにより、ビッグデータを収集・解析し、その結果を反映させたソリューションを展開しています。

●富士通

「富岳」の開発元であることからも、富士通は最先端ハードウェア開発に積極的に取り組んでいる印象があるITベンダーです。

●NTT

NTTデータ通信会社のグループ会社であることから、データ活用やBIサービスに長けているITベンダーとして認知されています。主力商品はITサービスの導入支援や運用です。

●NEC

官公庁系のシステム開発に強いITベンダーとして知られていましたが、最近は顔認証サービス、IoTやビッグデータ活用の支援などの新しい技術サービスも行っています。官公庁だけでなく、多くの業種に顧客ユーザーを持ち、独自のソリューションを展開しています。

●大塚商会

独立系大手のITベンダーです。独立系なので、1つのメーカーに縛られることなく、多くのメーカーと良好な関係を築き、マルチベンダーによる共同開発も可能としています。

●日本IBM

手掛ける業態は、クラウド事業やセキュリティ事業など幅広く、ユーザー評価が高いことでも有名です。注目されているAI「watson」をビジネスに導入し、データナレッジや業務プロセスに組み込んで、データ分析やプロセスの効率化に役立てます。

●マカフィー

セキュリティという分野に特化したITベンダーです。個人向けと法人向けにセキュリティサービスやソフトを提供しています。

●野村総合研究所

ITコンサルティングの先駆け的存在であり、多くのノウハウを蓄積しています。独立系ITベンダーであるため、ハード、ソフト共にメーカーに縛られることなく、ユーザーの要求を満たすシステムやサービスを提案・提供しています。

●トレンドマイクロ

セキュリティに特化したITベンダーであり、サーバーやネットワーク、クライアントを脅威から保護するサービスを提供しています。

製造業のユーザー企業とITベンダー企業の関係

日本では、ユーザー企業よりもベンダー企業の方に**ITエンジニア***が多く所属しています。ユーザー企業のためにベンダー企業がITシステムを開発し、納入する受託開発構造であるため、ユーザー企業の内部に情報システムに関するノウハウが蓄積しにくいともいえます。日本のユーザー企業は、外部のベンダー企業に開発を委託することが主となっている場合は、メンテナンスをある程度の間隔でまとめて行っていくことになり、ベンダー企業側にノウハウが蓄積されていきます。そのため、ユーザー企業は、既存システムを運用・保守できるITエンジニアが定年退職や他社に転職してしまうと、他のITエンジニアに伝承が困難になります。

外国のユーザー企業では、社内にITエンジニアを抱えて、開発を主導している場合は、高頻度でかつ小規模に（細かく）プログラムをメンテナンスし続ける形態が一般的になっています。短期間でメンテナンスを行い続ければ、結果的にブラックボックス化は起こりにくいですし、個人が持つノウハウもメンテナンスによって他のエンジニアに伝承しやすくなります。

日本で、ユーザー企業が社外のベンダー企業に開発を委託することが主となっている場合は、メンテナンスをある程度の間隔でまとめて行っていくことになり、ベンダー企業側にノウハウが蓄積されます。このようなプロセスでは、要求仕様を整理・調達し、契約を結び、ウォーターフォールモデルのような開発を行うため、時間がかかるという課題もあります。ウォーターフォールモデルとは、システム開発の手順を模式化したモデルの1つで、設計やプログラミングといった各段階を1つずつ順番に終わらせ、次の工程に進んでいく方式です。具体的には、要件定義、外部設計、内部設計、開発（実装）、試験、本番稼働（納品）、運用といった各工程を時系列に沿って順に並べ、1つ前の工程が終わったらその成果物をもとに次の工程を始める、という単純なルールで進めていく方式です。

＊**ITエンジニア**　一般に、「プログラマー」「システムエンジニア（SE）」「Webエンジニア」「ネットワークエンジニア」など「ITに関わる技術者全般」のことを指しています。

海外の企業では、**汎用パッケージ**＊やサービスを活用している場合は、ユーザー企業内からノウハウがなくなったとしても、同様のノウハウを持つ人材が世界中に存在するため、対応は可能です。

日本企業の場合、汎用パッケージを導入した場合も、自社の業務に合わせた細かいカスタマイズを行う場合が多いです。この結果、多くの独自開発が組み込まれることになるため、ブラックボックス化する可能性が高いという問題もあります。

ウォーターフォールモデル（図表2-6）

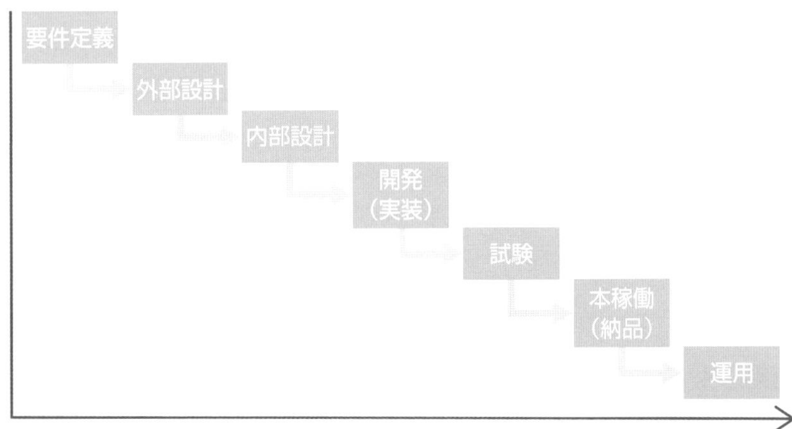

メモ　汎用パッケージ

すでに製品として成り立っていて、製品要件にあった環境さえ整えれば、導入・運用を開始することができる製品のことを指します。すでに形が見えているので、導入後のイメージもしやすく、比較的安価で導入までの期間が短いことがメリットといえます。しかし、十分な検討を行わず導入してしまうと、自社の業務に合わなかったり、カスタマイズ費用が重なり予算が確保できなくなったりし、最悪使用しなくなってしまいます。

◇ユーザー企業からベンダー企業への丸投げ

わが国においては、海外企業に対して、要件定義から請負契約を締結するケースが多いです。これは、ユーザー企業がベンダー企業へ、要件定義の段階から丸投げの状態になってしまっていて、そもそも何を開発するのかをベンダー企業に決めてくれと依頼しているようなもので、ブラックボックス化してしまう可能性が高いです。

ベンダー企業もユーザー企業の依頼した内容の要望をそのまま受け入れてしまっていては、**アジャイル開発***のようにユーザー企業のコミットメントを強く求める開発方法を推進しようとしても無理があります。まず、ユーザー企業は企業として何をやりたいかを示すことが重要といえます。

このアジャイル開発とは、システムやソフトウェア開発におけるプロジェクト開発手法の1つです。従来のウォーターフォール開発などよりも素早く行えるという特徴があります。これは事前に「あらかじめ全工程にわたる計画を立て、それを実行する」という開発プロセスではなく、開発中に発生する様々な状況の変化に対応しながら開発を進めていく手法です。

アジャイル開発では、チームを組んで「要件定義➡設計➡開発➡テスト➡リリース（運用）」といった開発工程を1つの単位とした小さいサイクルで繰り返します。このような小さいサイクルを繰り返すことで、個々の機能の開発が独立して完結するため、開発期間中の**仕様変更***の発生に強く、リスクを最小化させることが可能です。変化の激しいビジネス環境の中で、ソフトウェアに対する要求の変化も激しさを増しています。要求の変化に追従すると共に新しいビジネス変化を生み出すために、より迅速なソフトウェアの提供が求められています。（図表2-7）

メモ 仕様変更

英語でspecification changeといいます。性能の向上や利便性の改善、法規適合化などのために、部品や部位の仕様を変更することです。仕様変更は事前に入念なチェックをしてから実施に移すことが大切であり、確認が不十分なために思いもよらぬ不具合を発生させることがあります。

このような状況でも、要件の詳細はベンダー企業と組んで一緒に作っていくとしても、要件を確定するのはユーザー企業であるべきことを認識し、理解する必要があります。製造業のユーザー企業は、企業として何をやりたいかを示すことが曖昧のまま、アジャイル開発方法を推進しようとベンダー企業へ丸投げしてしまうケースもしばしば見受けられます。

アジャイル開発(図表2-7)

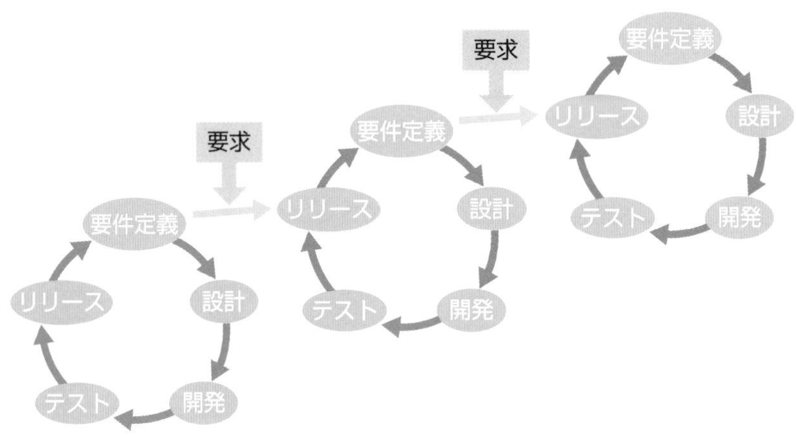

メモ アジャイル開発

変化の激しいビジネス環境の中で、ソフトウェアに対する要求の変化も激しさを増しています。要求の変化に追従すると共に新しいビジネス変化を生み出すために、より迅速なソフトウェアの提供が求められています。

ユーザー企業とベンダー企業の責任関係

製造業のユーザー企業は、システム開発を内製ではできないため、ベンダー企業に業務委託するケースがほとんどです。その場合、「請負契約」や「準委任契約」が適用されています。契約にあたっては、ユーザー企業とベンダー企業との間の責任関係や作業分担などを明確にしておく必要があります。しかし、ユーザー企業は、現行システムがどのくらい肥大化・複雑化しているのかわからず、現行の仕様も不明確であるにも関わらず、現行機能保証という条件でシステム刷新をベンダー企業に業務委託する場合が多いようで、それが原因でトラブルを引き起こすことにもなっています。また、ユーザー企業の情報システム部門と事業部門や経営企画部門との十分な連携がないために、必要とする要件を明確化できないまま発注することもあります。

その結果、でき上がったシステムがユーザー企業の意図したものと異なり、テスト工程で大きな手戻りが発生するため、開発費用が大幅に超過すると共に、納期が遅延することに伴う機会損失が生じるという問題も起こっています。

日本では、ベンダー企業がユーザー企業を理解しているという前提に立っているため、問題が発生するとベンダー企業に責任を押し付けやすいということがあります。こうした状況が、結果的に、ベンダー企業による既存システム刷新の提案を委縮させている側面もあるのです。

コラム 「要件定義」と「要件定義書」

「要件定義」について、正確に言葉の意味を理解していくところから始めましょう。「**IT用語辞典**＊」には「システムやソフトウェアの開発において、実装すべき機能や満たすべき性能などを明確にしていく作業のこと。いわゆる上流工程の一部で、実際の開発・実装作業を始める前に行う作業の一つである」とあります。このように、システム構築にあたって、要件定義は重要な役割を果たします。

「要件定義」を記した「要件定義書」は、システム開発の「目標」を定め、どのような要件を満たせばシステムが完成したことになるかを、「目標」として明確にするために作成します。

次に規定した目標について、SEとクライアントの間で確認して合意を目指します。「要件定義書」の内容をクライアントの承認を得て、開発するシステムの完成像を両者で合意する役割があります。

「要件定義書」のもう1つのねらいは、外部設計の基礎となる文書の役割もあります。「要件定義書」は設計担当者に提示され、設計担当者は「要件定義書」に基づいて外部設計を行い、主に次のような項目を記述します。

①システム化の対象領域（システム化の対象となる業務）
②システムの概念（システムを使った業務の全体像）
③システム構成（ハードウェア構成、ソフトウェア構成、ネットワーク構成）
④業務フロー（システムを使った業務の流れ（フロー））
⑤作業定義（業務を構成する作業の一覧と各作業手順）
⑥機能要求（業務を実行するために要求される機能）
⑦入出力要求（入力情報と出力情報）
⑧データ項目とデータベースの要求
⑨セキュリティ要求（セキュリティを保護するための要求事項）
⑩10性能要求、品質要求（システムに要求される性能、品質）

参考資料：水田哲郎「システム開発の手戻りをなくすー演習で身につく要件定義の実践テクニック」日経システムズ2017

＊**IT用語辞典**　e-Words, Incept Inc.提供 https//e-words.jp

中小製造業のIT化

大企業だけでなく中小企業においても、ITの活用を行っています。具体的にはどんなことをして、どんな効果を生み出しているのでしょうか？

加速する中小製造業のIT化

ITを活用することで、多くの良い効果がもたらされるという認識が、ここ数年広がりを見せており、中小企業においても急速にIT化が進みつつあります。これによって、生産性の向上や、ビジネスチャンスの拡大といった効果が生まれています。

生産性の向上

DXによって、情報収集、蓄積、活用が可能になるため、顧客ニーズの迅速な対応、在庫の削減、納期短縮、精算、流通、販売などの効率化が実現でき、労働生産性の向上、売上高・利益の増加が期待できます。

ビジネスチャンスの拡大

インターネットなどの活用により、一度に多数に向けた情報発信を行うことができ、幅広い情報収集や情報交換を行えるようになります。これにより、いままでの取引先関係にとらわれることなく、より多数の企業、消費者と取引できることになり、ビジネスチャンスが飛躍的に拡大することが期待されます。しかしながら、中小企業と大企業における**デジタル・ディバイド***（情報格差）という現実もあります。中小企業においては、大企業の様な「システム開発専門部署」の設置は少なく、社内ネットワークの「監理」「保守」で手いっぱいというのが実情なのかもしれません。

メモ　デジタル・ディバイド

コンピューターやインターネットなどの情報技術（IT：Information Technology）を利用したり使いこなしたりできる人と、そうでない人の間に生じる、貧富や機会、社会的地位などの格差のことです。個人や集団の間に生じる格差と、地域間や国家間で生じる格差があります。

ITツールの活用例

小規模の製造業の企業では、大企業では当たり前に利用されているITツールが、ほとんど利用されていないことも珍しくありません。先ほど述べた「生産性の向上」と「ビジネスチャンスの拡大」という2つの効果について、中小企業規模事業者の経営に関するアンケートの回答から見ていきましょう。

少ない人材で高い売上や利益を生むためには、1人当たりの生産性向上が欠かせません。現在は、PCやスマートフォンといったデジタル機器端末を1人1台持つなど、IT（INFORMATION TECHNOLGY）情報技術ツールが普及しているため、ITを活用して生産性を上げる取り組みが広がっています。

中小企業においても、専門的なITの部署が組織されなくとも、デジタル端末やEXECLなどの表計算ソフトに詳しい人材が必ずいるものです。

DXを大上段に構えず、小さな改善でも効率を上げるためにITツールを上手に利用することも極めて大事だと思います。

図表2-8をご覧ください。2016年に中小企業規模事業者の経営に関するアンケートの回答を分析した一覧表です。ITツールごとの利用状況のデータが表示されています。

ITツールごとの利活用状況（図表2-8）

＊	メール	一般オフィスシステム	給与・経理業務ソフト	グループウェア	電子文書での商取引や受発注情報管理(EDIなど)	調達、生産、販売、会計などのソフト(ERPなど)
最小規模企業群	37.8	36.3	20.4	7.3	11.4	11.4
小規模企業群	49.2	48.8	29.9	7.9	16.9	16.7
中規模企業群	56.3	58.5	42.9	12.6	21.4	23.4
大規模企業群	72.4	74.2	60.6	21.7	25.6	31.7
全体	54.1	55.9	40.3	12.2	18.5	21.5

〈『規模別・業種別の中小企業の経営課題に関する調査』平成28年7月、（全国中小企業信仰機関協会）を元に表を作成〉

＊規模の分類については参考資料に準ずる

◇業務効率を向上させるため

社内が保有しているリソースを最大活用するためには、業務の効率化は不可欠です。しかし、意識や努力など、人力による業務効率の向上には限界があります。一方で、DXの一環として、ITツールの導入やIoTによる業務の可視化などを実施すれば、大幅な効率アップが可能です。

IoT*は**モノのインターネット***と呼ばれるコンセプト・テクノロジーです。あらゆる製造機械やセンサーがつながることで、様々な業務にかかる作業時間を削減できます。

業務プロセスの中で問題が起きている箇所をリアルタイムで確認することで、原因が速く特定できる点もメリットです。現場に設備として導入しているロボットなどの稼働状況も、ツールによって管理が可能です。

作業は早く終わるので、空いた時間を有効活用できます。ミスも減少する、といった効果もあるため、生産性や売上のアップが期待できます。工場だけではなく、配送や販売にも活用できるため、サプライチェーン全体での効率も向上するでしょう。

◇製造業・ロジスティクスの機能をAIやDXで活性化

新型コロナウイルス禍で、人やビジネスの行動変容が起きると、ロジスティクス機能については、さらに無人化が進むと考えるべきでしょう。属人的なオペレーションが残っている限り、この感染症によるリスクは避けられないからです。これまでも自動運転やオペレーションの最適化などが行われてきましたが、今後、AIやDXの活用が促進されるでしょう。

メモ　モノのインターネット（IoT）

様々な「モノ（物）」がインターネットに接続され（単につながるだけではなく、モノがインターネットのようにつながる）、情報交換することにより相互に制御する仕組みです。

*IoT　Internet of Thingsの略。

工場や倉庫などでの**リソース**＊を最適化するために、向こう数週間の物量を予測しています。新型コロナウイルス禍では、物量が増えるにしても、減るにしても初めての振れ幅になる事態が発生するため、先の需要予測と同じ対応が必要になってくるでしょう。

BOM(部品表)の活用

BOMとは、製造業で用いられる部品表の一形態です。製品を組み立てる時の部品の一覧と、場合によっては階層構造を表します。製品の見積もり時点から、設計、調達、製造、メンテナンスにまで利用され、多岐にわたる近年のモノづくりにおいて、BOMは極めて重要です。多くの企業では、BOMをExcelで管理していたり、図面に埋め込んで管理したりしています。しかし、これらの方法では最新情報の維持が大変で、可視化や検索が難しい場合もあります。

製造業の中小企業では、表計算ソフトで単純な部品表として管理されているケースも依然と多く行われている現状の中で、BOM（部品表）のデジタル化が急速に進んでいます。

BOMは、製造業で用いられる部品表の一形態です。製品を組み立てるときの部品の一覧と、場合によっては、階層構造を表します。このBOM（部品表）は、設計、調達、製造、メンテナンスにまで利用され、極めて重要なものです。

メモ　リソース

資源や資産という意味のことです。IT用語としては、パソコンやサーバーそのものや、CPU・メモリといった構成要素の性能や、容量、開発プロジェクトに投入される人的資源や予算を意味します。英語で資源、供給源、物資、財源を意味する名詞resourceを語源にし、ヒト・モノ・カネに関わる資源、資産を表す言葉として使用されます。

＊**BOM**　Bills of materialsの略。

例えば、図面やExcelを中心とした仕組みの場合、共通部品がどの機種で使われているのか、その部品を変更することで、どの範囲まで影響があるのか、その影響範囲の修正に伴う工数やコストはどれくらいかという検討に、多くの時間がかかっています。

このような状況を部品表（BOM）をデジタル化することで、部品同士の関連性をシステムが理解できるようになるため、芋づる式に情報を引き上げることが可能となり、BOMをより活用しやすい情報に変革できます。

BOMのデジタル化は、ただ図面に描かれている部品表の情報を紙からデータに変換するだけではなく、それぞれの品目に対しての個々の情報、関連性をシステム上で持たせるということなのです。

こういったBOM情報をいかに効率的に管理できるか、有効活用できるかが、製造業にとって重要です。製品開発においては設計部門のみならず、製造、サービス、営業、マーケティングが協業し、製品情報を共有しながら“モノづくり”を進めていく必要があります。

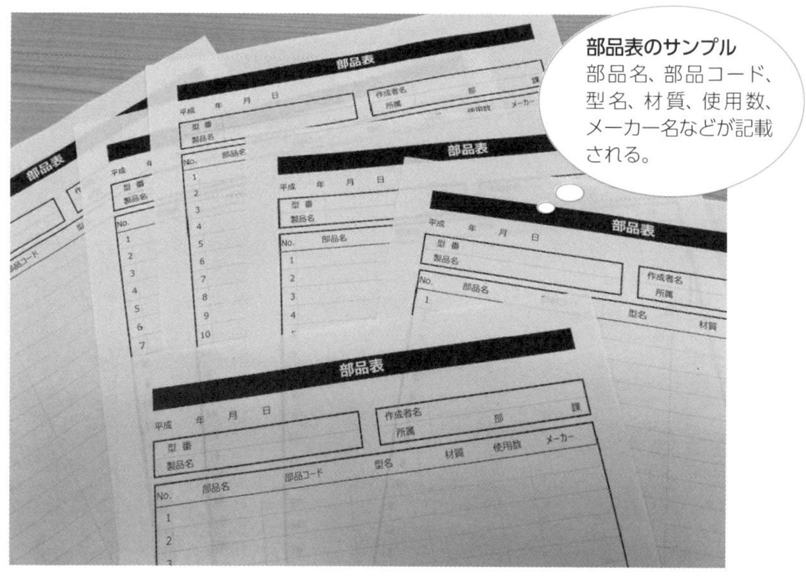

08 既存システムのレガシー化

レガシー化については、マネジメントの側面も大きいようです。今後の課題などを見ていきましょう。

レガシー化とマネジメント

レガシー化は技術の側面のみならず、「マネジメント」の側面が大きな課題と考えるべきです。古い技術を使っているシステムだからといっても、必ずしもレガシー問題が発生するわけではありません。適切なメンテナンスを行うITシステムマネジメントを行っている場合は、ブラックボックス化はしにくいです。ただし、開発から時間が経っているためシステム全体が一体化した古い**アーキテクチャ***や開発技術は、メンテナンスによって肥大化、複雑化する傾向にあり、時間の経過と共にレガシー問題が発生しやすいのは事実です。アーキテクチャとは、情報システムの基本設計や設計思想のことです。建築業界では昔から設計思想や建築様式のことをアーキテクチャと呼んでいましたが、IT業界ではIBMがSystem/360という最初の汎用コンピュータの設計思想を表現するために用いました。そこから、他のメーカーにおいても設計方式を示す際にアーキテクチャという言葉が使われるようになりました。マイクロプロセッサの分野においては、命令セットアーキテクチャやマイクロアーキテクチャの2つがあります。

メンテナンスを繰り返し、プログラムが複雑化した場合でも必ずレガシー問題が発生するわけではありません。しかし、開発から時間が経っている場合、レガシー問題の発生確率は上がります。逆に、最新のクラウド技術を適用していても、時間の経過と共にレガシー問題が発生します。

不十分なマネジメントによるレガシー化の繰り返し

レガシー問題は、マネジメントの問題でもあるので、ブラックボックス化する原因を追究しておかなければ、たとえ一時期の投資でシステムを**モダナイズ***しても、時間と共に再度レガシー問題が出現する可能性は高くなります。モダナイズ／モダナイゼーションとは、「近代化」や「現代化」と訳される言葉です。ここから転じて、IT業界におけるITモダナイゼーションとは、古くなったIT資源を一新し、システム環境を最新のものに移行することを意味します。ITモダナイゼーションの典型例としては、オンプレミス運用されていたシステム環境をクラウド基盤に置き換えることなどが挙げられます。クラウド（クラウドサービス、クラウドコンピューティング）とは、クラウドサービスプラットフォームからインターネット経由でコンピューティング、データベース、ストレージ、アプリケーションをはじめとした、様々なITリソースをオンデマンドで利用することができるサービスの総称です。クラウドサービスでは、必要なときに必要な量のリソースへ簡単にアクセスすることができ、ご利用料金は実際に使ったぶんの支払いのみといった従量課金が一般的です。

システムが機能している限り、放置される恐れのある日本では、初期のITシステム構築は作業の自動化が目的であり、PCや法人向けサーバーなどの製品の販売するハードウェア・ベンダーが中心となって一括受注する形態が確立しました。これは、要件定義に基づき開発するウォーターフォールモデルとなり、米国で初期の情報システム開発で提唱され、広く普及しました。

これに対して、日本では、かつての成功体験が、ユーザー企業／ベンダー企業共に温存され、契約の曖昧さなどもあって、根本的な見直しには至らないままになっています。初期のITシステム構築は、ユーザーの作業を写し取って論理化し、「要件定義」としてきました。現在のユーザーは、システムがある状態で仕事をするのが当然となっているので、システムの全貌と機能の意義がわからない状態であり、従来のような「要件定義」をする能力を喪失しています。

しかし、古いシステムを一掃してまったく新しいものに入れ替えるときに求められるのは、新システムの「要件定義」です。精密な要件定義の策定ができないというユーザー側の根本的な課題を抱えたままで、曖昧なままシステム刷新・改修が進められ、トラブルの原因となるか、でき上がった瞬間から新システムのレガシー化が進み始めることになります。

システム化の成功体験が、製造現場の中にあることで、システムがブラックボックス化しても、問題なくシステムが動いて機能している限りは、レガシーの問題を経営の課題として、真正面から取り組まないまま時間が経過してしまっているケースも多く見受けられます。

メモ **モダナイズ**

古くから何十年も使われてきたシステムを、現在のIT技術に対応させて使いやすくすることです。

設計、品質管理、物流のDX

DXは製造部門だけではなく、設計、品質管理、配送、物流まで最適化を実現することで市場での競争力がつきます。

設計・品質管理・物流の最適化

日本のDXへの取り組みは諸外国に比べて遅れをとっているとよくいわれます。それでも外国企業に追いつこうと、数年前から様々な日本企業がDX化の取り組みを進めています。

製造業におけるDXは、単なるIT技術を利用した生産性向上だけの取り組みではありません。製造分野の現場だけではなく、設計、品質管理、配送・物流など、製造業全体のプロセスにおいてITによる最適化を行い、市場における競争力を身につけることが重要です。

製造業がDXを取り入れる4つの戦略

日本の製造業の企業は、工場に生産ロボット（FA）を導入して、製造工程の自動化を図るなど、他の業界に比べて比較的早い段階からデジタルテクノロジーの導入を行ってきました。経済産業省の「DX推進ガイドラインVer.1.0」では、DXは、「デジタルテクノロジーを取り入れることでビジネスの変革を図ること」と定義していることからもわかるとおり、DXは、製品の生産における単なる過程だけでなく、製造業にかかわるすべての業務においての導入と活用が求められています。手順としては、以下のようになります。

・工場をスマートファクトリー化
　➡業務の効率化や品質・生産性の向上を図る。
・デジタル技術を取り入れる
　➡工数の削減を図り、人材の不足を解消する。
・製品の製造だけでなく、その製品を活用したサービスを開発
　➡製品とサービスをトータルで利用する。
・製造業を軸に色々な分野に裾野を広げる
　➡プラットフォームを構築してユーザーに活用してもらう。

製造業が取り入れる4つの戦略(図表2-9)

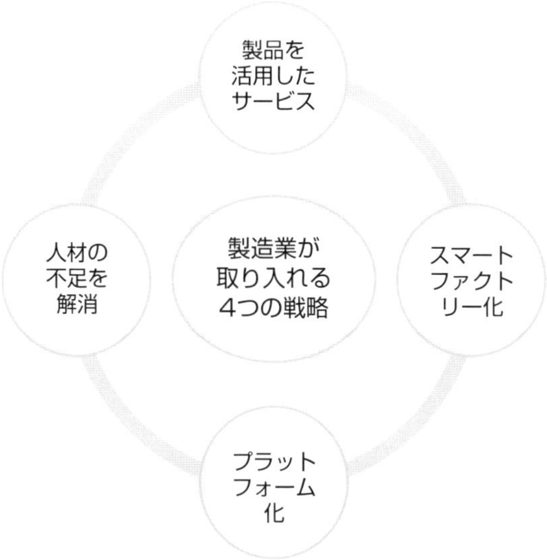

◇ 市場における優位性を保つため

顧客ニーズは常に変化し続けています。ITツールを利用して収集・蓄積したビッグデータを分析することにより、変遷する顧客ニーズの**見える化***が実現され、迅速かつ的確に対応できるようになります。売上データなどは代表的な解析対象です。

*見える化 (Visual Control)　企業や組織における財務、業務、戦略などの活動実態を具体化し、客観的に捉えられるようにすることです。

データを活用し、競合他社よりもスピーディに顧客ニーズへの対応を行えば、機会損失を防ぐことができ、競争優位に立つこともできます。**顧客体験（CX*）**の向上により顧客との関係性を構築し、製品や企業のファンを増やせば、ニーズの変化によって影響を受けづらい安定した売上も期待できるでしょう。

◇ DataRobot*の機械学習モデルの活用

製造ラインでは、新型コロナウイルスの感染拡大により、いままさに操業停止、もしくは逆に、需要の急増により、稼動時間が長く、毎日終電車で帰宅という非通常の状況に見舞われているところもあるのではと思います。予兆保全などで活用されるAIは、稼働状況が変わった場合、見直しが必要になるケースもあるでしょう。再学習のためのデータが必要となるので、いまの非通常稼働のデータ収集はすぐにでも始める必要があります。

製造現場での、人の接触、密集を避けるという意味では、AIやDXの活用が1つのソリューションになり得ます。DataRobotの機械学習モデルがアウトプットするのは予測値だけではなく、その出力の理由も同時に提示します。

メモ　顧客体験（CX）

Customer（顧客）とExperience（体験）を組み合わせた用語であり、「顧客体験価値」「顧客経験」「顧客経験価値」と表記されることもあります。顧客体験とは、商品・サービスと顧客が触れ合う「顧客接点」での体験に対して、顧客側が感じる「合理的価値」や「感情的価値」のことを指す概念です。

* **CX**　Customer Experienceの略。
* **DataRobot**　DataRobotについての詳細解説は下記のhttps://www.datarobot.com/jp/blog/2017-11-28-manufacturinを参照してください。

例えば、不良品検知では、不良品となる確率と、その出力に寄与した特徴量（設備の設定値、センサーデータなど）を強い順に出力します。実際に、それらを参考に改善をすることで、人海戦術による要因調査（人と人の接触、密集）の工数を下げることに成功しています。安定稼働する生産現場の実現に向けて、AI活用はすぐにでも着手すべきであるといえます。

一方、多くの製造業の企業では、海外に工場を持っていることは珍しいことではありません。その多くの現場では、日本人のエンジニアが現地に出張・駐在し、製品や仕事の品質を担保しているのが現実ではないでしょうか。新型コロナウイルスの影響で、その往来が滞り、また、コロナ収束後でも、これまでのような頻繁な人の往来は困難になると考える必要がありそうです。

AIの1つのメリットとしては、インターネットを通して遠隔地にも展開し、その機能を享受できることにあります。弊社のお客様の中にも、実際に海外の工場へ日本で作ったモデルを展開し、その品質チェック、および要因分析に活用しているケースが見られます。

具体的には、現地の生産工程からの情報を収集し、日本においてモデリングを実施する。そのモデルを現地の品質管理工程に展開し、実際に生産ラインが稼働している中で活用する。日本において定期的にモデルの精度をモニタリングしつつ、このモデルの運用管理を行っています。

このような先進的な仕組みを導入している企業では、現在のコロナ禍でも、その影響は限定的になり、この状況が長期化する場合には、さらに大きなアドバンテージを享受することになります。このAIを通したオペレーションのグローバル展開が、今後の製造業にとって、生産体制の維持、さらには強化のための解決策になってくるでしょう。

ロジスティクスのDXの4つの戦略

モノをつくるためには部品の物流が必要であり、モノを売るためには製品の物流が必要です。モノづくりと物流を一体のサプライチェーンとしてとらえ、その全体をいかに最適化するかが重要です。物流を含むサプライチェーン全体を最適化することによって、工場のみならず全社員の生産性を上げ、ワークスタイルを改善し、お客さま満足度を向上させることができます。

DXの実現は、人員不足や長時間労働の常態化など様々な問題を抱える物流業界においても重要な課題です。

DXとは最新のデジタル技術を駆使し様々な課題を解決することで、DXを実現するためには、単にIT技術を導入するだけではなく社内の様々な業務を根本的に見直さなければなりません。IT技術を交えた新たな業務フローを構築することにより、自社にとって安定的に利益を得られる体制を構築することが企業におけるDXの最終的な目標です。

ロジスティクスのDXは、以下の4つの戦略で、業務効率化を図っています。

物流業界のDX推進は、他業種に比べるとやや遅れている傾向にあり、業界を挙げた対策が急がれています。

物流が取り入れる4つの戦略(図表2-10)

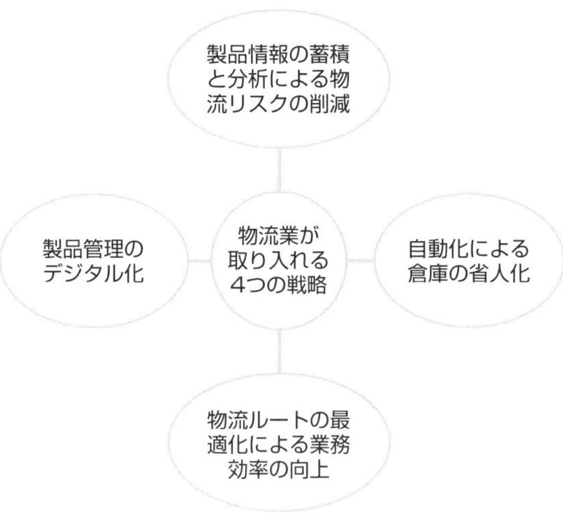

①自動化による倉庫の**省人化**＊
②製品管理の**デジタル化**＊
③データベースを活用した製品情報の蓄積と分析➡物流リスクの削減
④物流ルートの最適化➡業務効率の向上

▲自動化による倉庫の省人化

メモ **省人化(しょうじんか)**

単位経済活動あたりの労働時間を減少させることであり、単位仕事あたりの人間の労力を減少させる省力化とは違った社会的影響があります。

メモ **デジタル化**

「ITの進化により様々なヒト・モノ・コトの情報がつながることで、競争優位性の高い新たなサービスやビジネスモデルを実現すること、プロセスの高度化を実現すること」と定義されます。デジタル技術によっていままで人間が行っていた業務などを効率化したり、新しい付加価値をつけ製品を生み出したりするなど、様々な企業でデジタル化に取り組んでいます。

顧客ニーズの変化に対応

顧客ニーズの変化にどう対応していくか、既存システムの老朽化と共に説明していきましょう。

顧客のニーズの変化に対応した便利な製品・サービスの創出

もしも、IT技術の活用によって製造や物流の業務の効率化や自動化を実現できれば、製造する製品の生産性は向上していく。工場では少ない人員で効率よく利益を上げられます。日本では、少子高齢化の影響により工場で働く人員が減少していくことは明らかです。DXを行って、工場の生産性の向上を高めないと、企業の国際競争力の維持が難しくなります。

現在では、コロナ時代、顧客ニーズの変化の環境において、いままでどおりのアナログで非効率的な業務を行っていては、顧客ニーズに応じることが難しくなります。

IT技術の活用やDXを行って便利な製品・サービスを生み出し、顧客ニーズの変化に合わせた柔軟な対応ができると、顧客満足度が向上して企業の成長につながります。

例えば、人にとっては非常に危険で行くのが困難な場所に小型ビデオカメラを内蔵したドーロンで現場を調査して、瞬時に状況を判断するAIの活用を検討したり、いままでにはなかった便利な製品・サービスを創出すれば、顧客に提出できる価値が向上します。

既存システムの老朽化・ブラックボックス化

日本の多くの企業では、既存のITシステムが老朽化することで、企業の成長が妨げられる「2025年の崖」と呼ばれる問題が生じると警告されています。これを回避するため、多くの企業がDXへの取り組みが始められています。

経済産業省は、「2025年の崖」について、「DXレポート」で次のように警鐘を鳴らしています。「複雑化・老朽化・ブラックボックス化した既存システムが残存した場合、2025年までに予想されるIT人材の引退やサポート終了などによるリスクの高まり等に伴う経済損失は2025年以降、最大12兆円/年（現在の3倍）にのぼる可能性がある」と報告しています。

このような損失が発生してしまうと、国力がさらに低下することになってしまうでしょう。そのため、早急にDXを推進してこのリスクに対応する必要があるのです。

経済産業省の「2025年の崖」について書かれたDXレポートの要約を見ていきましょう。

DXレポート

ITシステム「2025年の崖」の克服とDXの本格的な展開（要約）

製造業はDXを推進して、収益モデルを変革し、付加価値の高い製品を市場に出していくとの方針を打ち出しても、世界市場で勝ち残るためには、DXの活用が最終的なイメージにあるとは、現状では言いきれない多くの課題や問題が製造現場にあります。

また、付加価値創出や新しいビジネスモデルの構築に取り組むことを目的としてDXを推進しようとすると、コストをかけたにもかかわらず効果が実感できないという結果になる現状のケースが少なくありません。その理由として、製造現場の現実と活用するために収集・分析したデータが一致していない課題も考えられます。

製造業・ロジスティクス業界においてのDXは、他業界に比べると残念ながらやや遅れているのが現状です。製造業・ロジスティクス業界では未だアナログな対応が多く、DXの推進による業務の効率化や新たなビジネスモデルの登場は、十分に進んでいない課題があります。

製造業・ロジスティクス業界のDX推進が遅れている背景には、日本特有のいくつかのビジネスの事情もあります。中小企業の製造業は柔軟な対応を行うためにはIT化による標準化よりもアナログな対応したほうが、都合が良いところの製造場面も多く、DX推進に踏み切れないという現状の企業は少なくありません。

オフィス内のDX

テレワーク、Web会議、ペーパーレス化など、通勤・オフィスでの作業をなくすDXへの取り組みが普及しています。実際には技術的・社内の意識的な問題から、日本のDXは十分に進んでいるとはいえません。多くの企業が、DXに対して自社が未着手の状態にあると認識しています。

物流業DXを推進する際の課題

近年、物流の需要はますます高まり、それに伴う数多くの課題が生じています。主な課題点として、次の3つが挙げられます。

①人員不足

少子高齢化による老年人口割合の増加によって、今後働き手は減少していくことが予想されています。物流業界に携わる人が増加しない原因の1つとして、業界の労働条件がなかなか改善傾向に向かわないことが挙げられます。トラックドライバーの年間労働時間は全業種平均を約20%も上回っているともいわれており、長時間労働が常態化していることから、国を挙げて是正に取り組んでいるものの、思うような成果が上がっていないのが現状です。現場が忙しくなると、新規スタッフを採用するための時間が取れないことも多く、即戦力を求めるあまりに採用できても十分な教育を施せずに現場に出ることになるケースも多いようです。

結果的に生産性の低下を招き、せっかく人手が増えても期待どおりの成果が出しにくいという負のスパイラルに陥るケースも少なくありません。

②1人当たりの従業員の負担増

業界全体が成長を続けて需要が増加しているにもかかわらず、物流に携わる人口が増えていかない現状では、増加した負担が一人ひとりに転嫁されてしまうのも当然であるといえます。さらに、最近では競合他社との差別化を図るべくサービス内容が複雑化し、従業員は単に商品を届けるだけではなく様々なユーザーニーズに対応しなければならなくなっています。このことも従業員の負担増につながっている大きな要因の1つです。

③航空貨物の急激な増加

新型コロナウイルス感染拡大の影響により、世界中で国際線旅客便の運航が大幅に減少し、それらの便の貨物スペースに載せるはずだった貨物が積めなくなったことなどから、国際線航空貨物便の需要が大きく増加しています。航空貨物の利用が増加したことにより、IT機器向けの半導体や電子部品の輸出が増えているため、小口輸送が急激に増加しています。

航空貨物に関わるDX(図表2-11)

人員不足

1人当たりの
従業員の負担増

航空貨物の
急激な増加

DXへの取り組みで解決!

▲コロナ渦の影響で、国際線航空貨物便の需要が大きく増加している。

工場倉庫業DX

倉庫内に在庫管理システムが導入され、在庫管理を効率よく行うことができるようになりましたが、課題や問題点もあります。

在庫管理、倉庫管理のシステム化

工場内倉庫に在庫管理システムを導入し、在庫管理を効率化する方法は倉庫業務の負担を軽減する上で有効です。人の手で在庫管理を行うと適正在庫の維持は難しく、時間と手間がかかるだけでなくヒューマンエラーの発生率が高まりやすくなります。

例えば、Excelで在庫を管理している場合、処理済みの在庫を反映し忘れたり、入力を一桁誤って登録してしまったり、過剰在庫や欠品を招くリスクが考えられるでしょう。

在庫管理システムであれば**ピッキング**＊と同時に自動的に在庫を引き落とすような処理ができるので、入力間違いによる在庫の管理ミスを防止できます。

適正在庫を維持して過剰在庫や欠品を防ぐことで、入出庫や配送をスムーズに進めて製造ラインまでの**リードタイム（LT**＊**）**の縮小にもつなげられるでしょう。配送量が増加して従業員一人ひとりの負担が重くなっている現状では、在庫管理の適正化による倉庫業務の効率化は必要不可欠であるといえます。

＊**ピッキング**　伝票や指示書（いわゆるピッキングリスト）に基づいて、商品を取り出す（ピックアップする）作業のことをいいます。
＊**リードタイム（LT）**　製造や開発、物流の現場において、発注から納品までのすべての工程にかかる時間のことです。
＊**LT**　Lead Timeの略。

◇倉庫業務の効率的なシステム構築

倉庫業務のシステムは1つのIT技術で構成されるわけではなく、様々な技術によって構成されています。

例えば在庫管理システムや入出荷を効率化するための**ハンディーターミナル***などの管理を中心とする仕組みもその1つです。

また、コンベアの制御なども倉庫業務を効率化するための重要な仕組みの1つであるといえるでしょう。

一部の業務に対してシステムを導入するだけでも一定の効率化を図ることは可能ですが、複数のシステムを組み合わせて取り入れることによってより効率的に倉庫業務を運営できるようになります。

◇デジタル技術を利用した従業員の勤務状況の管理

従来の従業員の勤怠管理は**アナログ***で行われることが多く、シフトの作成には多大な労力が必要でした。個々の従業員のスキルなども加味しながら最適な人員配置を行うことは、管理者にとって非常に負担が大きい業務であるといえるでしょう。

AIを活用することにより、人の手を介さずに最適な人員配置を考慮したシフトを自動的に作成できる環境を整えることが可能になります。1人ひとりのスケジュールを照らし合わせて配置する作業から解放されるため、管理者はほかの重要な業務にリソースを割り振れるようになり、作業効率が向上します。

メモ ハンディターミナル

直訳すれば「携帯端末」となり、携帯性に優れたデータ収集用の端末のことを指します。近年は、バーコードや2次元コードなどによる部品・製品の管理が一般的です。ハンディターミナルには、業界やシーンを問わずに使用できる優れた操作性と堅牢性、防滴・防塵性が求められます。

*アナログ 「データを連続的に変化する量で表すメカニズム」。物質やシステムなどの状態(数値)を、長さや角度、電流などの連続的に変化する物理量で示すことをいいます。

また、倉庫業務に限らず配送ドライバーの勤務シフト管理にAIが活用されるケースもあります。ドライバーの配送負担がなかなか軽減されずにいることは大きな問題となっていますが、同時に運行管理担当者も大きな負担を強いられています。AIを取り入れて負担を軽減することで、業界全体の問題を少しずつ解消に向かわせる効果が期待できます。また、シフト作成を最適化できることから人員配置の精度が向上し、人件費を削減できる可能性もあります。

工場倉庫業のDX(図表2-12)

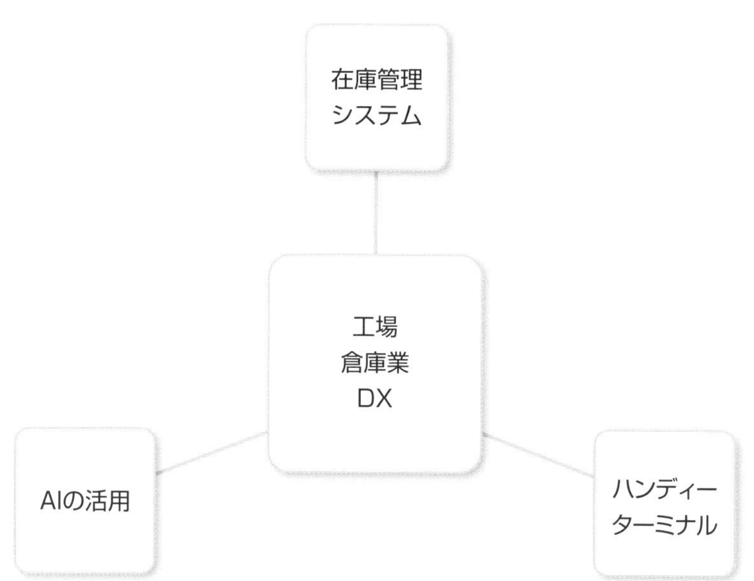

12 製造業のIT化は遅れている

既存のITシステムの老朽化のため、「手でやったほうが早い」ということも発生しています。

手でやったほうが早い？

生産設備用ロボットや既存ITシステムの老朽化のため、処理速度が遅くなっている傾向があります。高速なシステムと低速なシステムでは、当然ながら前者の方が業務効率化につながります。加えて、低速なシステムの場合は「既存のITシステムを使わず手でやった方が早い」となってしまう恐れもあります。

日本の製造業は、多くの企業において、他の先進国に比べてIT化が遅れているといわれています。導入している既存の設備も老朽化が進んでいる状態です。最新のITを活用した設備への切り替えがなされていないケースが多い理由は、IT化を進めるコストの確保が難しいこと、さらにはIT化によって実現できる生産性の向上といった効果が理解できていないこと、IT化を進める目的が明確になっていないことなどが挙げられます。また、IT化を進めても使いこなせる技術者がいなことも理由として考えられます。それは、日本の製造業が根強く持っている技術力への自負です。製造現場のある調査では、1,000社のうち、およそ7割の企業が経験と勘による製品開発を行っていることが判明しました。言い換えれば職人気質を重視した製品開発が現在も受け継がれているというわけです。

「DXレポート」では、次のように警鐘を鳴らしています。「あらゆる産業において、新たなデジタル技術を活用して新しいビジネス・モデルを創出し、柔軟に改変できる状態を実現することが求められている。しかし、何を如何になすべきかの見極めに苦労すると共に、複雑化・老朽化・ブラックボックス化した既存システムも足かせとなっている。既存システムを残存した場合、2025年までに予想されるIT人材の引退やサポート終了などによるリスクの高まりなどに伴う経済損失は、2025年以降、最大12兆円/年（現在の約3倍）にのぼる可能性がある」

要約すれば、「最新IT化を推進しないと日本は国際競争力が落ちて取り残されてしまう！　だからいちばんの阻害要因である基幹系システム再構築を早期に推進しましょう！」という内容になります。

◇メインフレーム・オフコンが次々と使えなくなる？

「DXレポート」の「2025年までに予想されるIT人材の引退やサポート終了などによるリスクの高まりなどに伴う」の文面に「サポート終了」という表現があります。これはNEC、日立、富士通と、長年日本企業を支えてきた、メインフレーム・オフコンメーカーが、近年立て続けに、今後サポートを打ち切る発表がされていることを指しています。メインフレーム・オフコン系の**EOS** *情報が抜け落ちてしまいます。打ち切りということは、再構築を選択する際、何らかの手段を講じ、別の仕組みに載せ替えることが必要であることを意味しています。

◇基幹システムの「運用・保守ができる人材」が枯渇する

「老朽化した基幹システムの運用・保守ができる人材」が枯渇しています。古い基幹系システムは、テクノロジーも古く、理解しているIT人材はどんどん高齢化していきます。

一方、若い技術者はタダでさえ人口減少で働き手が減っている中、目の前にはAIなど、自らの身を立てるべく将来性のある最先端の技術を学べる環境下にあります。涸れていく古い技術をいまさら学ぶのに抵抗を感じるのはごく自然なことです。

ITコストの約9割は運用・保守コストといわれている日本企業の昨今、人材が足りないということだけでなく、やりたくない業務であるというのも事実ではないでしょうか。

メモ EOS

「サービス終了」の意味で、企業が提供・運営しているサービスを終了することを表します。製品の場合には「サポート終了」と同義で、問い合わせ、修理、交換などのアフターサービスの提供を打ち切ることを意味します。「EOL」あるいは「EOSL」がこれを表す場合もあります。

*__EOS__　End Of Serviceの略。

コラム

Appleの事例から学ぶ　物流の在庫解消と業績回復への取り組み

2010年代に世界を席巻したビジネスのトレンドの1つは「**GAFA**」(ガーファ) と呼ばれるものでした。様々なプラットフォームから世界中の膨大なパーソナルデータ (個人情報) を収集し、巨大で独占的な企業群を指し、世界の株式時価総額ランキングでも上位を占める米国を代表するIT企業であるGoogle、Apple、Facebook、Amazonの4社の頭文字から称されています (※1)。

そのうちの3社は創業が2000年前後であるのに対し、Appleは1975年にスティーブ・ジョブズによってカリフォルニア州で創業。1980年代にNASDAQに上場しました。

Appleの長期業績推移

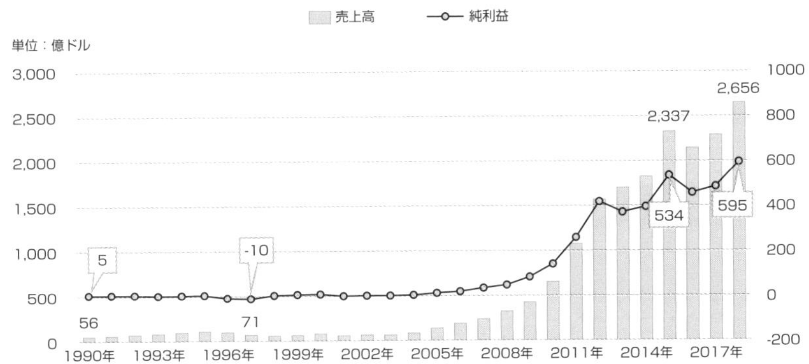

Appleの決算業績資料より筆者作成

Apple.Inc (以下、Apple) は、現在から23年前、1998年代の経営状況は、現在からは想像もできないような苦境に立たされていました。前年度の決算によると売上高は過去最悪の日本円で約1,230億円を計上、利益率はマイナス14%を下回り、魅力的な新商品を開発することもままならず、相当な資金不足に陥っていたのです。

その後、2000年代に入り世界のiPhoneに代表されるApple社のiPodやiPhone製品に新技術を搭載したアップグレード製品を2～3年ごとに発表し、世界中で圧倒的なシェアを伸ばし、連続的な大ヒットでIT企業として再興し、急成長を遂げるまでになります。

特に、2012年Appleが経営の底にあった1995年の年間売上高に対する在庫は約58.5日ぶんにもなっていました。賞味期限が野菜やパンのように早いといわれる半導体やコンピュータ部品を扱う業界で、在庫は業績悪化の一番の原因であり、倉庫を借りることで失う利益は年間5億ドル相当にも及んだことが指摘されています。解雇されたスティーブ・ジョブズが復帰後、最初に取り組んだ施策は、この在庫を徹底して削減するというものでした。取引先を厳選し、納期を厳守するサプライヤーに絞りこみ、19カ所の倉庫のうち10カ所を閉鎖。ティム・クックが入社をした3年後の1998年には在庫日数を4.7日、スティーブ・ジョブズが死去した2011年には在庫日数は脅威の20分の1の2.6日にまで減らしました。2007年発売のiPhoneを皮切りに2015年まで売上高は上昇に転じていきます。

世界の大手IT企業4社の収益（純利益）を比較してみましょう。2018年度のAppleの純利益を100%と対して各企業が何%の売上か試算%をしたものが次の表です。

2018年度　年間売上高順位（収益額と売上割合）（※5）

順位	会社名	売上高	純利益	2018年度対 Apple純利益（%）
1位	Apple	2,656億ドル	595億ドル	100%
2位	Amazon（注3）	2,329億ドル	101億ドル	16.9%
3位	Googleの親会社 Alphabet	1,368億ドル	307億ドル	51.5%
4位	Facebook（注4）	558億ドル	221億ドル	37.1%
5位	Microsoft	1,104億ドル	166億ドル	27.8%

2018年の比較から読み取れることは、Appleの高い収益構造です。売上高2位のAmazonの純利益はAppleの純利益の16.9%です。2018年度のAppleの大きな収益構造の柱はiPhoneで売上の62.8%を占めています。Apple PayやApple music、Apple TVなどの音楽配信サービスは14%、Mac9.6%、ipad7.1%,その他の製品で6.6%の構成になっています。

2018年　Apple収益割合

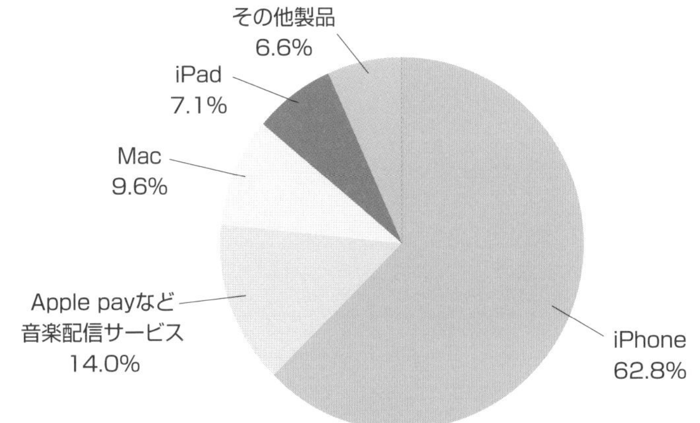

Appleは、少品種大量生産の体制で部品の共通化を行い、製造原価を下げ、原価率を大幅引き下げる戦略で功を奏しています。その結果、iPhone12Proの構成部品の製造原価は、406ドル（43,300円/売価117,480円［128GB］）（※6）、製造原価率が36.85%でした。また、自社工場を持たない戦略で、自社の設備投資をできるだけ抑え、M&Aで有用な技術を買い取ったり、研究開発費に集中して資金を投入したりすることで、独自の技術革新を続けています。

コロナ禍の巣籠需要で通信サービスが伸び、iPhone12も好調で、236億（2兆3千800億円）売上高３４％増え、過去最高の売上高（純利益）2021年1月期初の1兆ドル企業となり、2021年4〜6月期には売上高が814億ドル（前年度同期比64%増）、純利益217億（同93%増）（※7）、5G対応のiPhoneとMacの販売好調で売上を大きく伸ばしています。

物流システムと徹底した在庫管理、独自の戦略で製造原価を抑え収益を上げているAppleの取り組みは、DX時代のよい事例です。2021年秋には新製品IPhone13が発売され動画撮影のためのカメラの高機能化を実現しています。Appleのさらなる進化と今後の技術革新に注視していくとDXの新たな戦略や切り口が見えてくるのではないでしょうか。

※1　2012年に欧米の出版業界が競合先の脅威とされた「GAFMA（ガフマ）」に由来します。GAFAの4社にMicrosoftを加えたものでしたが、後にプラットフォームの影響力よりはずれて、GAFAになりました。

※2　週刊ダイヤモンド編集部「週刊ダイヤモンド　特集アップルの招待」2012年、ダイヤモンド社

※3　2020年にはAmazonが2,805億ドル（コロナ禍による影響で急激に売上を伸ばし、Appleの2,745億ドルを超え1位に浮上しています）

※4　Facebookは2012年にNASDAQに上場

※5　2018年Apple決算業績資料より算出

※6　ダイワンテレコム調べ https://www.iphone-d.jp/blog/iphone/13166.php

※7　2021年第3四半期Apple決算資料より算出

サプライチェーンのDX

コロナ禍で分断されたサプライチェーンの問題点と課題を明らかにしていきます。

コロナ禍でのサプライチェーンの分断

製品を作って顧客や消費者の手元に届くまでの流れを、サプライチェーンと呼びます。もう少し詳細にいえば、製品を作るための原材料や部品の調達から製造、在庫管理、配送、販売、消費、そして場合によってはアフターサービスに至るまでの活動全体がサプライチェーンです。新型コロナウイルスの感染拡大がサプライチェーンの分断など製造業の企業活動に大きな影響を与えています。

サプライチェーンには、製品を消費者の手元に届ける「モノの流れ」と、消費者から上がってくる口コミや意見、評価といった「情報の流れ」の2つの流れがあります。この2つの流れを管理（=マネジメント）することをサプライチェーン・マネジメント（SCM）と呼びます。例えばモノの流れを管理して在庫を減らそうとしても、単純に作る数を減らせばよいという話ではなく、仕入れ・在庫管理・販売管理といった複数の部門にまたがった問題になります。そのため、サプライチェーン・マネジメントをするためには組織全体の連携体制を築くことが必要となります。

サプライチェーンのDX

製品を作る工場では、ロボットや機械の力を借りて様々な業務が効率化されており、すでにデジタル化は進んでいるのではと思う方もいるかもしれません。しかし、人間が行う作業をロボットや機械が代わりに行うことは、部分的にデジタルな面はあってもアナログな部分も多いのです。

在庫や生産数などの最適化を図るためのサプライチェーン・マネジメントには、全社的なデータの活用が欠かせません。そのためには、既存のシステム・サービス体制すべてに別れを告げることが必要になるかもしれません。新たなシステムの導入には大きなコストがかかりますので、できる限り既存のシステムを使い続けていきたいという気持ちになるのは当然のことでしょう。

しかし、長期的に見れば、工場のDXの推進が遅れることは、企業にとって大きなデメリットとなります。企業として競争力を失うことは、そのまま売上の損失を意味しています。

IT技術者の人材の確保が急務となる日となる未来がすぐそこまで来ているのにも関わらず、IT技術者を人材採用してDXの内製化するのが本意ではないでしょうか。既存システムの刷新にはコストがかかります。だからこそ本格的なDXの推進の舵取りは経営陣にしかできないのです。既存システムのブラックボックス化を解決するためには、たとえ現場サイドの抵抗があろうとも強いリーダーシップを持てる経営陣の率先した行動が必須です。

◇DXの内製化

今後、工場のデジタル化のみならず、サプライチェーンの中で、デジタル化が求められる傾向が強まると思います。Excelやメールから脱却して、業務改善にデジタルを活用した業務の見える化、機械化、自動化する必要があります。さらに、ポストコロナ時代に向けては、既存の枠組みを変革し新たな価値を生み出すDXの内製化を迫られていると感じています。DXの内製化が必要とされるのには、次の3つの理由があります。

メモ　サプライチェーン・マネジメント（SCM*）

供給連鎖管理とは、物流システムをある1つの企業の内部に限定することなく、複数の企業間で統合的な物流システムを構築し、経営の成果を高めるためのマネジメント手法です。なお、この場合の「複数の企業間」とは旧来の親会社・子会社のような企業グループ内での関係に留まらず、対等な企業としての立場です。

*SCM　supply chain managementの略。

①SCM*領域のデジタル化による競争優位性

クラウドやデバイス、様々なソフトウェアが普及し、部門・企業・サプライヤー・顧客間のつながりは広がりを見せています。現場業務をより効率化させ、生産性も向上させることができるようになりました。しかし、多くの企業では、SCMの経営資源最適化のための計画系・実行系システムの導入は進んでいるものの業務実行のための需要・供給情報のやり取りについてはシステム化が進んでいません。

②サプライチェーン業務のシステム化が業務改善のカギに

例えば、見積管理、委託管理、輸出入の貿易業務などメーカー/サプライヤー/物流/顧客とのやり取りは、システム化されず、Excelとメールを利用した非効率な運用がされています。そのため、リスクマネジメントできず、無駄なリードタイムが発生しているケースが多くあります。業務実行でのやり取りの改善が生産性向上や業務効率化を実現するはずなのに、システム化が進んでいないのはなぜでしょうか？

③企業のカナメだからこそそれぞれ違うSCMモデル

システム化が進んでいない理由は、業務実行プロセスのシステム化を外注した場合、期待する費用対効果よりも多くの構築・運用費がかかるからです。顧客や製品、在庫形態や流通ルートなど様々な要素を組み合わせながら考慮し設計されるSCMモデル。それに応じた業務実行プロセスは企業ごとに異なります。**ソフトウェア・パッケージ***を適用した場合、細かいニーズに対応するためのカスタム費用がかかります。さらにビジネスの成長に合わせ業務プロセスも継続的な改善が求められるため、システムも変更対象となり、運用費がその都度発生します。

*ソフトウェア・パッケージ　市販ソフトウェアのこと。ERPソフトウェアなど特定の業務あるいは業種で汎用的に利用することのできる既製のソフトウェアです。

外注型SIから内製型DXへ

外注型SIから脱却し、社内で行うDXの内製化について解説していきます。

DXの内製化

外注型SI*から脱却して、社内で行うDXの内製化のメリットには以下のようなものがあります。

まず、従来型のデジタル化を推進した場合です。自社の業務実行プロセスに合わせたシステムの構築・運用にはコストや時間がかかりすぎてSIer*への外注はあまりおすすめできません。また、効果の期待が小さいです。

SIによるデジタル化のコスト増加(図表2-13)

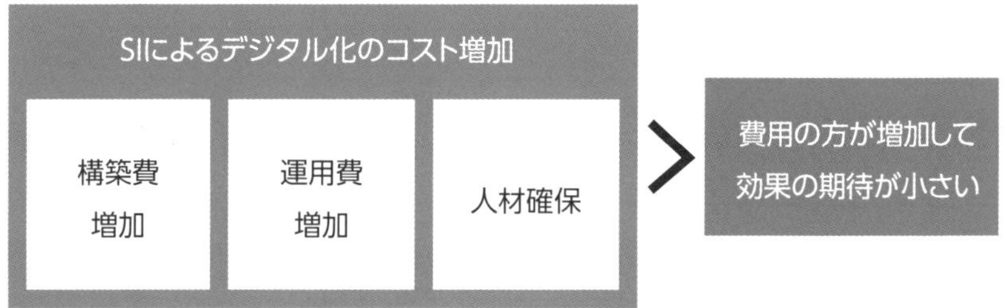

メモ **SIer**

「システムインテグレーション」を手掛ける企業です。具体的に、クライアントから受けたシステム構築依頼を、企画から運用バックアップまで、すべてを一括して請け負い提供します。「エスアイアー」と読みます。

次に、ユーザー企業の内製でデジタル化を推進した場合です。内製化でコスト・時間を削減、ノウハウやスキルを蓄積します。この場合は、構築・運用のコストが減少して費用の方が減少して、効果の期待が大きいです。

SIによるデジタル化のコスト減少（図表2-14）

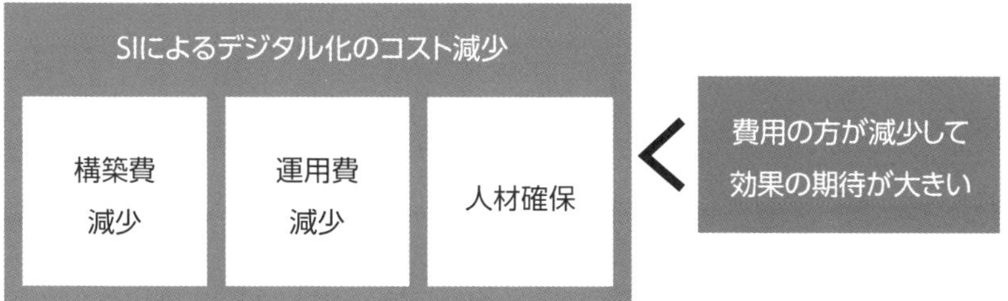

SCM領域における業務プロセスのシステム化では、ビジネスの成長に合わせた変更・改善の柔軟性や迅速性がポイントです。理想的アプローチは**内製化**＊です。業務プロセスを知り尽くした社内で取り組めば、コストや時間を削減しつつノウハウやスキルが蓄積でき、その後の変化にも柔軟かつ迅速に対応できるようになります。

メモ　内製化

「企業が実施する業務を外部の専門業者等に頼らず、自社内のリソースで対応すること」または「外部に委託（アウトソーシング）している業務を自社で対応する体制に切り替えること」をいいます。

内製化による3つのメリット

システム構築のスキルを持つ人材が社内にいない課題や費用を抑えながらスピーディに業務改善に取り組みたいと考えている中小製造業が、DXの第一歩として業務プロセスの内製化に取り組んでいます。

内製化による3つのメリット(図表2-15)

1. スピーディなシステム構築の内製化によるスピーディで柔軟なシステム構築
2. 運用コストの合理化と内製化による運用コスト削減
3. 継続的な業務改善内製化によるビジネスの成長に合わせた継続的な業務改善

3 先進事例・成功事例に学ぶ製造業のDX

新型コロナウイルスの世界的な感染拡大により食品加工業や輸送関連の車両工場では、いままさに操業停止、もしくは需要減少の状況に見舞われている企業が増えています。一方、自動車、家電製品やゲーム機器などの製品の需要が伸びているという状況があります。「不確実性の高まり」に対応するためには「デジタル化」が必要です。
今後は、さらに仕事の流動性が高まり、デジタル化が急務になってきます。このデジタル化が製造業DXの活用へと導き出す重要な起点になると考えられます。

製造業DXの活用状況

DXへの取り組みと現状とこれからの課題についてご説明していきます。

◇DXの取り組みによる影響

これまで、製造業向けのベンダー企業の多くは、受託事業を中心としたビジネス・モデルとなっていました。新型コロナウイルス禍以降、製造業の企業統合等による情報資産の共有、クラウド化の進展などから、今後、企業の規模は縮小する見込みです。

既存システムの最適化を進める上で、製造業のユーザー企業は単独では取り組めない課題に直面しています。その事情として、次の3点が挙げられます。

①既存システムの運用とメンテナンスにかかるコスト

既存システムの運用とメンテナンスは、年々コストが増大しています。歴史的に積み上げられてきた機能に対して、全貌を知っていて、ITシステムを運用している社員の高齢化や、退職で、更新におけるコストも増大していきます。

②プラットフォームの変更に伴うリスク

業務や**プラットフォーム***などの変更ごとに追加・改修が行われてきた中、コストの全体最適化ができていないことに加えて、機能の全体像を把握しているIT技術者も減り、プラットフォームのサポート終了などの事態が発生したときの改修に伴うリスクが高くなっています。

メモ プラットフォーム

駅のプラットホームやデッキ、演壇、高い足場などの意味を持つ言葉です。ビジネス用語としては、物やサービスを利用する人と、提供者をつなぐ場のことを表します。IT用語としてのプラットフォームはソフトウェアが動作するための土台を指します。

③ITシステム統合による複雑化

製造業の中では、業種によっては企業間の合併や買収が活発化し、それに伴うITシステムの統合などによって、複雑度が増大しています。

中小製造業では、既存システムのメンテナンスをできる人材が減少しています。さらに、新たなデジタル技術を駆使する人材を確保・維持することが困難となっており、早晩、競争力を失っていく危機に直面しています。ベンダー企業と新たな関係に立った仕事の進め方に取り組む必要があります。

製造業のデジタル技術の活用状況

経済産業省・厚生労働省がまとめている「2021年版 ものづくり白書(令和2年度 ものづくり基盤技術の振興施策)「概要」から引用した「デジタル技術の活用状況」について、ご紹介します。

モノづくり企業におけるデジタル技術を「活用している」と答えた企業が54.0%に上り、「活用を検討している」も合わせると、7割以上の企業で、デジタル技術の導入・活用に積極的であることがうかがえます。

5年後の見通しについては、「いままでどおり熟練技能が必要」と回答した企業の割合が50%を超えています。

一方で、「熟練技能はいずれ、機械やデジタル技術に代替される」とした企業も一定数存在しており、将来的にそうなった場合には、7割以上の企業が、作業担当者に「デジタル技術を活かすための能力を身に付させる」と回答しています。

デジタル技術の活用状況が54.0%以上になっていることは、「デジタル化」が便利なツールであるだけでなく、企業が存続するための、最低条件といえます。それでもまだまだデジタル化が進んでいない中小製造業の企業も少なくありません。

今後、DXの活用する「デジタル化」の本来の活用の目的として、1. 業務効率を向上させる、2. AIやDXの活用、3. 製造業・ロジスティクスのAIやDXを活性化させる方針を固めて、DXの実施を考える必要があるでしょう。以下に詳しく見ていきましょう。

①業務効率を向上させる

社内が保有しているリソースを最大限に活用するためには、業務の効率化は不可欠です。しかし、意識や努力など、人力による業務効率の向上には限界があります。

しかし、DXの一環として、ITツールの導入やIoTによる業務の可視化などを実施すれば、大幅な効率アップが可能です。

「モノのインターネット」と呼ばれているIoTによって、あらゆる製造機械やセンサーがつながることで、様々な業務にかかる作業時間を削減できます。

業務プロセスの中で問題が起きている箇所をリアルタイムで確認することで、原因が特定される点もメリットです。現場に設備として導入しているロボットなどの稼働状況も、ツールによって管理が可能です。

作業は早く終わる、空いたリソースを有効活用できる、ミスが減少する、といった効果があるため、生産性や売上アップが期待できます。工場だけではなく、配送や販売にも活用できるため、サプライチェーン全体での効率も向上するでしょう。

②DataRobot機械学習モデル

製造業では、大量のデータを生成する複雑なプロセスが一般的になり、より効率的な分析方法が必要となっています。

DataRobotは、与えられたデータの性質に合った様々な機械学習のモデルを網羅的に自動かつ高速で探し、より良いモデルをより早く発見することができます。DataRobotは、世界トップクラスのデータサイエンティストの知識とノウハウが組み込まれたエンタープライズAIプラットフォームで、機械学習の予測モデル構築に圧倒的な強みを持ち、2,000種類ものモデルの中からデータセットに応じた最適モデルを提供します。DataRobotの最大の特長は、特徴量の検出や生成、モデルの構築、デプロイ、メンテナンスといった機械学習に必要なプロセス全体を自動化できることで、これまでデータサイエンティストが行っていた高度な作業をAIを活用して実行できるようになります。

製造業におけるDataRobotの機械学習モデルは、アウトプットするのは予測値だけではなく、その出力の理由も同時に提示できます。DataRobotの機械学習の機能には、次のようなものがあります。

・R&D

モノづくりのコアな分野であるR&Dです。R&Dでは、材料の特性予測によって、材料選定やテストを効率化して、製品を市場に投入するまでの時間を短縮できます。

・製造ライン

製造ラインは、モノづくりのコアな分野です。製造ラインでは、不良品や設備故障の予測によってコストを削減したり歩留まりを向上することができます。

上記の引用文DataRobotの機械学習についての詳細解説は下記のhttps://www.datarobot.com/jp/blog/2017-11-28-manufacturinの引用を参照してください。

製造業における機械学習の応用分野については、次の図を参照してください。

製造業における機械学習の応用分野(図表3-1)

経済成長の鍵となる「人」と「デジタル」

環境の変化が進み、不確実性の高まる状況下で、日本の経済成長を支えてきたのは人の原動力です。少子高齢化が進み、人口減少が進む中、日本経済が成長していくためには、女性や外国人労働者など多様な人材が活躍できる環境の整備と個々の**労働生産性**＊を高めるためのRPA・AI・IoTなど「デジタル」活用による抜本的な業務改革が必要となっています。

DXは、「デジタルテクノロジーを取り入れることでビジネスの変革を図ること」と定義されます。この定義は単純に企業のIT化を進めていくだけでなく、これまでのビジネスのあり方をデジタルテクノロジーの導入によって見直していこうとする考え方です。

製造現場での予兆保全にAIやDXの活性化

予兆保全などで活用されるAIは、稼働状況が変わった場合は、見直しが必要になるケースもあるでしょう。再学習のためのデータが必要となるので、いまの非通常稼働のデータ収集はすぐにでも始める必要があります。製造現場での、人の接触や密集を避けるという意味では、AIやDXの活用が1つのソリューションになり得ます。

海外工場にもDX

多くの製造業の企業では、海外に工場を持っていることは珍しいことではありません。その多くの現場では、日本人のエンジニアが現地に出張・駐在し、製品や仕事の品質を担保しているのが現実ではないでしょうか。新型コロナウイルスの影響で、その往来が滞り、また、この状況を乗り越えた後でも、これまでのような頻繁な人の往来は困難になると考える必要がありそうです。DX活用による抜本的な業務改革が海外工場にも必要となっています。

メモ　労働生産性

「従業員1人当たり、または従業員が一時間当たりに生み出す成果」のことです。

アナログからデジタルへ

アナログからデジタルへの移行について詳しく説明していきます。

DXによる生産性の向上

2021年版「ものづくり白書」を見ると、労働生産性の変化を3年前と比較して、デジタル技術を活用している企業の方が、「向上した」と回答した割合が高く、加えて、デジタル技術を活用したことで、「そのままの人員配置で、業務効率や成果が上がった」、「全体的な労働時間が減少した」と回答しており、「労働生産性の向上や業務効率化の実現につながっているという示唆が得られた」と報告されています。IT技術の活用によって製造や物流の業務の効率化や自動化を実現できれば、製品の生産性は向上していき、工場では少ない人員で効率よく利益を上げられます。

日本では、少子高齢化の影響により、今後工場で働く人員が減少していくことは明らかです。DXを行って工場の生産性の向上を高めないと、企業の国際競争力の維持は難しくなります。

アナログからデジタルへの移行

アナログとは、連続した量を物理量で表すことです。物理量とは目に見える量のことをいいます。例えば、アナログ時計は連続した量を時間として、動く針という物理的なもので表します。次のようなアナログ機器やアナログ手段を利用している限り、デジタル化への移行は難しいでしょう。アナログ状況からデジタル化の変化は、恐れる人が多い傾向にあります。

中小製造業や物流業界の現状では、DXの推進よりも、以前と同じく現在でもアナログ機器やアナログ手段が利用されています。

例えば、手入力でパソコンのExcelを活用したグラフ作りや会議資料の数々などを作成して活用している職場も決して少なくないでしょう。製造現場や作業現場での朝礼という方法で口頭で伝えたり、会社の定例の会議の席上で、紙資料を読み合わせたり、プロジェクターの映像の手入力のデータを紙面から投射して説明したり、人々が集まる場所に設置された伝言板や掲示板には手書きのメッセージや情報が掲載されているのではないでしょうか。

次の図に示された、これら代表的なアナログスタイルは、手作業によるミス、記憶違い、忘れ、誤解、勘違いを発生させています。職場での、スマホ・ケータイ電話を利用した日常業務連絡によるコミュニケーションでは、聞き違いや勘違いによるミスを引き起こします。小さなミスで済めばよいですが、これが大きな事故に発展することもあります。

中小製造業や物流現場では、いまだにバーコードやデジタル機器だけがデジタル化の代表例と信じられていますが、デジタルの実用化段階では、多くのアナログ要素を排除していくことになります。そうすると、ミス、記憶違い、忘れ、誤解、勘違い、は限りなく起こらなくなります。

アナログとデジタル(図表3-2)

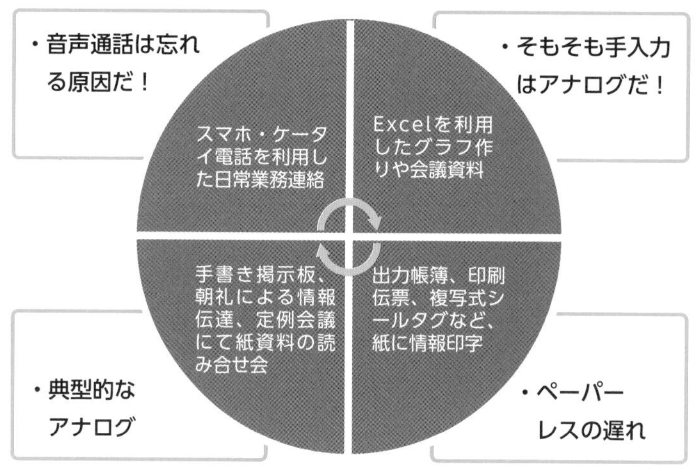

このようなミスがなくなると、手戻り、停滞、ミス事故、品質不良、滞留、停止がほとんど症状として現れることがなくなります。人はだれもが変化を望んでいても、実は忌避しています。

私たちは、アナログ習慣から脱出しなければなりません。参考までに、図表3-3を見てください。他業界をも含めたDXについての意識調査です。

業種別トランスフォーメーションの推移(図表3-3)

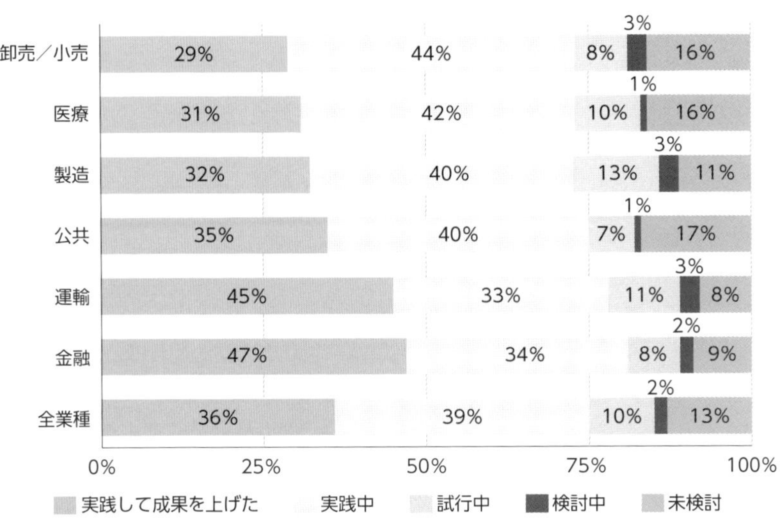

出所：富士通調査報告より作成

デジタル時代のデータの信頼とセキュリティリスクについては約70%が強い危機感や不安を持っており、機密情報の取り扱いや情報漏洩と、社会インフラに対するサーバー攻撃への懸念は68%、データの真偽性について59%が「そう思う」「非常にそう思う」と回答しています。これは毎年、IPA「情報処理推進機構」が調査している個人、企業における「情報セキュリティの10大脅威2021」からも「企業1位：ランサムウェアによる被害」「企業2位：標的型攻撃による機密情報の搾取」同様の傾向が示されています。

「富士通グローバル・デジタルトランスフォーメーション調査レポート2019」

富士通は、2019年に世界90カ国900人のビジネスリーダーを対象にデジタルトランスフォーメーションの取り組み状況および「信頼」に関する意識調査を行っています。近年のデジタル技術の進化のスピードはすさまじく、新技術は次々と新しいビジネスとサービスを生み出し、私たちの生活を大きく変えています。私たちが利便性を享受している裏で、セキュリティに対する不安や正しい信頼にたる情報を得ることの難しさも指摘されています。

調査によると、調査対象の87%の企業が、DXの取り組みを進めており、特にネット企業によるDXの取り組みは91%と非常に進んでいます。成果を上げた業種では、金融機関47%を筆頭に運輸45%、公共35%、製造32%、医療31%、卸売／小売29%と続きます。特に興味深い報告として、成果を上げた企業の分析結果からDXの成功要因には次の6つの重要な組織能力があると指摘されています（図表3-4）。

①DXに企業のリーダーが、最優先課題として取り組む
②パートナーと共に信頼されたエコシステムを構築
③必要なスキルを持つ人材の育成と成長の機会の提供
④イノベーションへの挑戦・変化に適応する文化の醸成
⑤セキュリティを確保・安全性と信頼性のあるデータからビジネス成果を創出
⑥デジタル技術をビジネスプロセスに組み込み推進

この調査では、これら6つの組織能力を継続的に強化していくことが不可欠であると述べています。

データに関する各記述について（図表3-4）

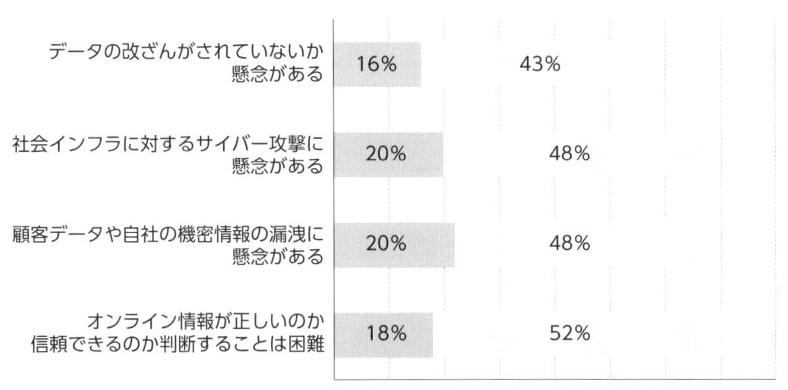

出所：富士通調査報告より作成

さらにDXの成功には共感型のリーダーシップの積極的な情報発信と自らの考えを自らの言葉で伝えることができているかどうかが重要です。ある調査では、DXを成功に導く人材のエンパワーメントの重要性を認識しているビジネスリーダーが7割を超えていることが報告されています。人材の潜在的な能力をいかに引き出し、事業の成長につなげていくかが大事だと思います。デジタル人材としてのスキルや技術の養成と共に、問題解決能力や共感力など創造的な思考や発想力を育むためには、従業員のワーク・ライフ・バランスや自主的な考え方、経験や能力、多様な人材を登用することの重要性を認識し、尊重することで成果が出せると思います。

これらのことからも、DXを成功に導くトップリーダーの意識改革や人材を活かす環境整備および信頼できるセキュリティ対策と従業員の満足度とやる気を促す組織制度設計、組織文化の醸成が必要であることがわかります。

参考までに、IPAによる、情報セキュリティにおける脅威についての調査をご紹介します（図表3-5）。

「情報セキュリティの10大脅威2021」＊(図表3-5)

昨年順位	個人	順位	組織	昨年順位
1位	スマホ決済の不正利用	1位	ランサムウェアによる被害	5位
2位	フィッシングによる個人情報等の詐取	2位	標的型攻撃による機密情報の窃取	1位
7位	ネット上の誹謗・中傷・デマ	3位	テレワーク等のニューノーマルな働き方を狙った攻撃	NEW
5位	メールやSMS等を使った脅迫・詐欺の手口による金銭要求	4位	サプライチェーンの弱点を悪用した攻撃	4位
3位	クレジットカード情報の不正利用	5位	ビジネスメール詐欺による金銭被害	3位
4位	インターネットバンキングの不正利用	6位	内部不正による情報漏えい	2位
10位	インターネット上のサービスからの個人情報の窃取	7位	予期せぬIT基盤の障害に伴う業務停止	6位
9位	偽警告によるインターネット詐欺	8位	インターネット上のサービスへの不正ログイン	16位
6位	不正アプリによるスマートフォン利用者への被害	9位	不注意による情報漏えい等の被害	7位
8位	インターネット上のサービスへの不正ログイン	10位	脆弱性対策情報の公開に伴う悪用増加	14位

＊IPAの調査をもとに作成

事務のデジタル化

事務にデジタル化を取り入れる際の課題や問題点について解説していきます。

事務業務に取り入れられるデジタル化の波

コロナ禍をきっかけにして、業務のデジタル化を検討する企業は多いです。一方でデジタル化を検討する中で何から手を付けていいのかわからないという声も耳にします。中小企業では、業務の整理には様々なデジタル化のやり方があるかと思います。製造業の企業がデジタル化を進める中で、具体的な業務整理の方法、そして業務整理を行うために経験してきたことを簡単にまとめていきます。

事務業務のデジタル化

事務の業務のデジタル化に取り組む際に、「データを何に移行させるのか」というパソコンのツールの検討も大切です。しかし、仕事の業務のデジタル化を検討する上でも、ツールを選定する上でも、「何を移行するのか」という観点で、現在の業務を**可視化***、把握（業務整理）しておくことが重要です。身近な業務整理をすることで、これまで気付かなかった見直しポイントや業務改善アイデアが見えてくるはずです。

デジタル化を検討する際に押えるべきポイントを定めてから、業務デジタル化を成功させるため、また業務デジタル化を通して課題を解決するために、業務整理は必要不可欠となります。

メモ　**可視化**

人間が直接「見る」ことのできない現象・事象・関係性を「見る」ことのできるもの（画像・グラフ・図・表など）にすることをいいます。

①業務改善を大前提にする

単純に現行業務のまま、新たなシステムに当てはめていこうとすると、そのシステムの特性を活かしきれなかったり、相性が合わない部分を無理やり設計することで、結果的に複雑なシステムになりがちです。

「紙の書類によって作業する業務をそのままデジタル化すればよい」という考え方ではなく、「業務をよりよくするにはどうすべきか」という考え方にシフトすることが大切です。

②目的を明確にする

業務をデジタル化する際、「デジタル化すること」自体が目的になってしまうことがあります。デジタル化することが目的となってしまうと、完成したとしても利用度が上がらずに、メンテナンスもおざなりになり、形骸化してしまうことが多いです。

いまの課題は何なのか、デジタル化を通じて何を解決したいのかなど現行業務の課題点とデジタル化の先に見据える本当の目的を曖昧にせず明確にします。

③業務を可視化する

業務整理を進めていく際に、「対象となる業務にまつわる情報を集める」という段階があります。集めた情報は散乱したままでは意味がなく、整理して全体像を掴むことが重要です。デジタル化の目的を定め、業務についての情報を手当たり次第に洗い出すだけでは情報が散乱してしまいます。情報を1カ所に集め、可視化することにより、何が必要で何が不要なのか、そしてどこに問題があり何を解決すべきなのかがわかるようになります。

仕事の業務をデジタル化する2つのポイント

仕事の業務をデジタル化することはゴールではなく、むしろスタートです。デジタルの継続的な利活用の運用、改善からDXに取り組めるようになります。また、業務を可視化することで下記のようなメリットが挙げられます。

- 今後の業務の見直しが簡単になる
- 仕事の業務引継ぎや社員研修をスムーズに実施できる

次に、業務のデジタル化について、具体例を見ていきましょう。

ペーパーレス会議

会議の準備から会議後までをペーパーレス化することによって、会議の効率化・セキュア化を実現できます。

紙を使った従来の方法に比べて工数や資源を削減することができ、効率的な業務の遂行が図れます。また情報共有がしやすくなり、遠隔地での会議などでも利用がしやすいなどのメリットがあります。そのため、**ペーパーレス会議**※では、参加する者が紙に印刷した資料を持ち寄ることなどはせず、すべてパソコンの画面上や部屋の壁に投影するなどしてその内容を共有します。

メモ　ペーパーレス会議

従来は紙にプリントアウトしていた文書や資料をデジタル化し、タブレットやパソコンなどで共有して会議を実施することです。タブレットやパソコンのほかにプロジェクター大型ディスプレイが利用されることもあれば、テレビ会議やWeb会議の形で行われることもあります。

ペーパーレス会議導入のメリット

①紙代、印刷代の削減

ペーパーレス会議では、印刷をする必要がなくなり、紙やインクを消費することもなくなります。不要となった紙の資料をゴミとして廃棄する際にかかるコストも削減できるというメリットがあります。

②資料の管理が簡単

ペーパーレス会議では、大量の紙資料を保管し続ける必要がなくなります。紙資料の場合**ファイリング***を適切に行うことで過去の資料も取り出しやすくなりますが、ペーパーレス会議ではシステム上で一括管理できるため、検索をすばやく行うことができるようになります。

③セキュリティ対策にもなる

会議資料がシステム上で一括管理されることで、第三者への情報漏洩を発見しやすく、かかるリスクを軽減することができます。外部からはアクセスできなくするなどのセキュリティに関する設定をすることもできます。

ペーパーレス会議のデメリット

①パソコンやスマホなどのデバイスの操作に慣れないと効率が悪い

パソコンやスマホなどのデバイスの扱いに慣れていないと、導入初期段階ではかえって不便に感じます。操作に慣れてその効果を十分に発揮することができれば業務全体の効率化がよくなりますが、その段階に至るまでに時間がかかるということも認識した上で導入を検討しなければなりません。

メモ　ファイリング

日々の業務で出てくる書類を、一定のルールに従い分類・整理することです。

②メモを残しにくい

紙を使用しなくなるとメモを書き込むことが難しくなります。紙の資料であれば余白などに付加情報を書き込んでいくことは容易ですが、データ化された資料に対しては同じ方法でメモ書きをすることが難しいというデメリットがあります。

文書管理コラボレーション基盤

紙の文書や電子文書を一元管理する**文書管理システム***のデジタル化は文書を検索する手間をなくし、更新や共有がしやすくなるというメリットがあります。

文書管理システムとは、WordやExcelで作られた文書や、電子化されたドキュメントを格納し、文書の保管や保存、活用、廃棄というライフサイクルをシステム上で一元管理するシステムのことです。必要な文書を必要なときにすぐ取り出せるように整理し、更新や共有がしやすくなります。総務省や自治体においても、この文書管理システムが使われています。

文書管理をしっかりすれば、業務もスピードアップ！

メモ **文書管理システム**

業務上作成した文書（紙・電子）を保管し、編集などの管理を行うことです。文書管理システムは、文書（紙・電子）の中でも電子化した文書を保管・管理する機能を持ったシステムです。

文書管理システムの機能

一般的な文書管理システムに搭載されている機能は、次のとおりです。

- **文書登録**
  大量の文書を整理して保管する機能や、紙文書のテキストを読み取って電子化できるOCR *機能など。
- **検索**
  全文検索、完全一致検索、あいまい検索、タグ検索機能など。
- **バージョン管理** *
  文書の変更、更新があった場合、最新版と旧版を管理する機能など。
- **ライフサイクル管理**
  文書の保管期限の通知機能、更新や削除を自動化する機能など。
- **ワークフロー**
  文書の申請、承認、公開などのフローを自動化・簡素化する。

メモ OCR *

画像データのテキスト部分を認識し、文字データに変換する光学文字認識機能のことをいいます。具体的には、紙文書をスキャナーで読み込み、書かれている文字を認識してデジタル化する技術です。

メモ バージョン管理

データを作成・更新などする際に変更履歴を保存し、後からそのデータの任意の時点の版を参照できるようにする仕組みです。コンピュータープログラムの開発・修正を円滑に進めるためによく利用される手法で、文書管理など他の分野でも利用されています。

* **OCR** Optical Character Reader (またはRecognition) の略。

文書管理システムのメリットと必要性

Excel上で文書管理をすればコストはかからないので、わざわざシステム化する必要性はあるのかと感じる人もいるでしょう。従来の文書管理の課題を踏まえて、システムを導入する3つのメリットを紹介します。

①検索機能によって文書を探す手間が省ける

事業を存続していけば、稟議書や報告書、帳簿、伝票など様々な文書が日々増え続けます。中には法律で保存期間が定められたものもあり、例えば経理に関連する書類でいうと、契約書や請求書といった取引証憑書類は7年間の保存が法人税法によって義務付けられています。社内にはこのような長期間保存をしなければならない文書もあるので、文書が山積みになってしまい、必要な文書を探すのに時間がかかっているというケースは少なくありません。文書管理システムなら、文書を電子化してフォルダごとに自動仕分けができる上、検索機能を使って条件を指定すれば目的の文書をすぐに取り出せます。これまで書類の検索にかけていた時間を、コア業務に費やせるでしょう。

②ペーパーレスになり、コストを削減できる

紙媒体の文書の場合、用紙代はもちろん、印刷にかかるプリンター代やインク代、印刷機の電気代などあらゆる費用がかかります。文書を保管するための場所も必要となるため、倉庫などを借りればコストはさらにかかります。文書管理システムを導入すればシステムのコストは発生しますが、文書は電子化されてシステム上で保管・保存されるので紙に印刷する必要はありません。

③文書の共有や承認がしやすくなる

紙文書はその場になければ見られませんが、文書管理システムによって文書が電子化されると、メールやクラウド上で共有できるので、相手が遠隔地にいても問題ありません。ワークフロー機能を搭載した文書管理システムであれば、申請書を電子化して上長と共有することで、上長はどこにいても承認できます。文書管理の利用規模が大きい場合、文書管理システテ

ムが必要でしょう。大手メーカーでは文書管理システムを導入し、電子決裁が推進されており、承認フローの簡潔化や迅速化を実現しています。

◇文書管理システムのデメリット

文書管理システムには、当然、導入コストや運用コストがかかってしまいます。しかし、最近はクラウド型システムが主流になっているので、初期費用を抑えられます。

現場の従業員がシステムを適切に運用しなければ、文書の検索や共有がしにくく、システム本来のメリットを得られませんのでデメリットになります。社内に保存するために、どの文書を電子化して、どのようにフォルダを分けていくのかというルールをあらかじめ決めておく必要があります。

◇文書管理システムを導入する際に気を付けるべきこと

①導入目的が明確になっているか

製品比較をする前の段階で、文書管理システムの導入目的を明確にします。例えば、「大量の書類を整理したい」「必要なときにすぐ取り出せるようにしたい」「簡単に情報共有したい」などです。ただし、部署やチームごとに文書管理の課題が異なれば、導入目的もバラバラになってしまうので、取りまとめて検討します。コストをかけてオーダーメイドで設計しない限り、すべての課題を解決してくれる製品はなかなかありません。課題には優先順位を付け、何を１番に解決したいかを考えると、どんな文書管理システムが必要なのか見えてくるので**ミスマッチ**＊のリスクが減るでしょう。

②必要な機能が搭載されているか

次に、導入目的に合った必要な機能を洗い出します。「大量の文書を管理しきれない」「ファイリングの手間をなくしたい」などの課題があるとしましょう。ペーパーレス化を目的として文書管理システムを導入する場合は、紙文書を電子化できる機能に特化したシステムがよいでしょうし、「文書を探すのに時間がかかっている」という課題なら、検索機能が豊富だとよい

＊**ミスマッチ**　釣り合わないこと、または釣り合わないもの同士が結びついていることを指します。

でしょう。「契約書や稟議書など承認が必要な文書をうまく管理できない」のであれば、ワークフロー機能を搭載した製品がおすすめです。システム上で申請や承認が行えて、承認状況も簡単に確認できます。決裁がスムーズにいかないという問題も解決できます。

③セキュリティ対策がされているか

文書管理システムでは社内の機密文書を管理することもあるため、セキュリティ対策が万全でなければなりません。文書ごとにアクセス制御、アクセス履歴の取得ができれば、セキュリティ機能が高いといえます。文書管理システムの障害に備えて、バックアップを自動取得する機能があれば、システムの故障ですべての文書が消えてしまうという事態を防げます。そのほか、メーカーの保守サポートなども確認します。

事務の業務をデジタル化する2つのポイント（図表3-6）

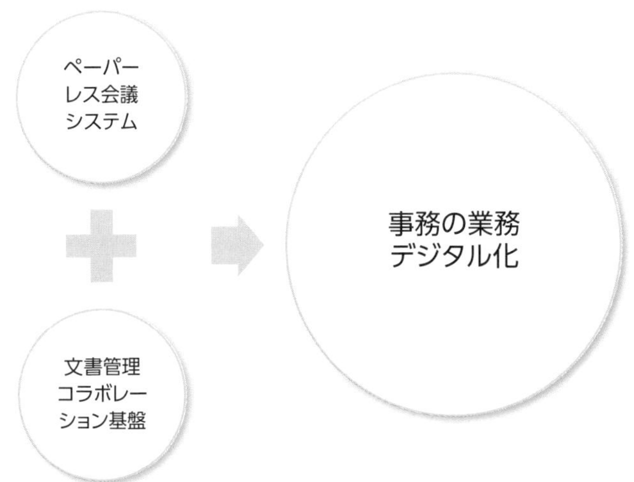

製造業DXの先進事例①……D社 第2工場のWMS導入

WMS（倉庫管理システム）で効率化

D社の第2工場では、物流にWMSという倉庫管理システムを導入し、業務効率化に成功しています。

WMS *とは、「倉庫管理システム」の意味です。WMSは、工場からの入出荷・保管といった倉庫における「庫内物流」の正確性とスピードアップを実現する仕組みです。この仕組みは製造業の原料／部品／製品倉庫、EC（electronic commerceの略）の商品倉庫や、製品の修理部品の保守部品倉庫などに幅広く導入され、業務効率を高めています。

基幹システムとWMSの大きな違い

基幹システムとWMSの大きな違いは、入出庫作業のサポートの機能ができるか、できないかです。

①基幹システム

基幹システムは、全社統一で行う管理（在庫数の把握）を目的とし、売上・仕入・生産といった処理と連動した在庫管理＝在庫数の更新を行います。作業現場で求められる入出庫サポートは現場ごとに作業や流れが異なるため全社管理ができないのです。

②WMS

WMSは、入出庫作業のサポートを目的としたサブ管理システムです。それぞれの現場ごとに、ローカルなニーズに対応し、スムーズな入出庫を支援します。

---

*WMS　Warehouse Management Systemの略。

例えば、入出庫の時間短縮に重要なロケーション管理では、役割を超えて基幹システムで管理すると、売上を立てるたびに、どの倉庫のどの棚から出庫するか指示が必要です。関わるすべての領域で管理が必要となり、手間が増えてしまいます。

一方、WMSは、両システムを活用し、役割に沿った管理を行うことで「全社統一で必要な管理（在庫数の把握）」と「スムーズな入出庫作業の管理」の両方を実現できます。

WMS導入の４つのメリット

WMS導入で、見込める効果を見ていきましょう。

①倉庫内のもの探しを効率化

入出庫作業で最も時間がかかるのは、倉庫内のもの探しです。WMSは商品とロケーションの指示を確認しながら作業ができるため、入出庫にかかる時間を短縮できます。また、時間と手間がかかっていた使用期限やロットごとの管理にも自動対応していますので、安定した品質の作業が行えます。

②モバイル操作を実現

WMSはバーコードを活用したデジタルチェックを行います。事前に出荷指示を登録することで、モバイル画面に表示された指示を見ながら作業をすることが可能です。指示と異なる作業を行うと、作業者にエラーを伝え、誤出荷を止めることができます。作業を標準化できるため、新人や繁忙期だけのヘルプ人員も同じ品質レベルで作業を進められます。

③迅速な入出庫判断

入出庫の際にバーコードを読み取ることで、在庫情報をリアルタイムに把握できます。最新の情報を把握できると、入出庫の判断を誰でも迅速に行えます。WMSのユーザーは「いまある在庫が正確にわかるようになった」といっており、企業に効率化をもたらしています。

また、現場の進捗状況も把握できるため、全体の作業管理がしやすく、人材の配置を適格に指示できます。

④バーコード利用で手入力のミスを削減

アナログ作業で管理を行う場合、入出庫の帳簿記入、管理PCへの入力作業が必須です。工程が多いため、時間と工数もかかります。さらに人の手で行う作業は、ミスも出やすく、ミスに対する確認作業も発生します。WMSはバーコードを活用しているため、倉庫現場からダイレクトに在庫情報を反映できます。そのため、より少ない工程で作業時間を削減し、適正な人員配置を可能にします。また、作業を標準化させるために、ベテラン作業員に依存しなくても、誰でも同じ時間でベテラン作業員と同じレベルの品質で作業ができます。

WMSシステムの導入する4つのメリット(図表3-7)

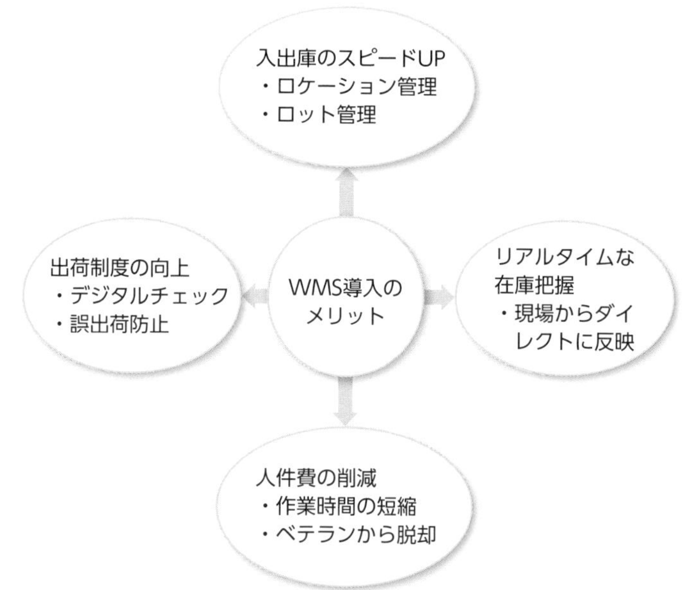

製造業DXの先進事例②……T社 本宮工場のOCR導入

◇ OCRについて

T本宮工場では、多種多様な製品の物流に光学的文字確認OCRを導入し、DX化へと取り組んでいます。まず、OCRとはどんな技術なのか？そこから解説していきます。OCRとは、「光学的文字認識」(Optical Character Recognitionの略) のことで、紙に印刷されている文字をテキストとして認識する技術です。1950年代に世界で初めてOCRシステムが販売されました。日本では、1968年に郵便番号の読み取りにOCRが導入されました※。印刷された文字をテキスト化して取り込むことができるので、訂正や編集が可能です。また、データとして管理できるので、あとから検索もできるようになります。

◇ 文字認識するOCRの処理

OCRで処理を行う際、どのような手順で文字を認識していくのか、帳票からの読み取りを例に説明します。

1. **読み取り位置を特定**
   帳票の画像データから文字を記載している枠の位置を特定します。
2. **文字枠の消去**
   撮影した帳票のイメージから文字枠を消して、文字だけを抽出します。
3. **文字の切り出し**
   1文字1文字の字の範囲を特定します。
4. **特徴の抽出**
   字の形から、それぞれの特徴を抽出していきます。
5. **辞書と照合**
   抽出した特徴を辞書と照らして、近いものを取り出します。
6. **認識結果を決定**
   辞書と照合し、特徴の認識結果が一番近いものに決定します。

※参考文献：勝山 裕「統計的性質に基づく文字の高精度認識に関する研究」http://hdl.handle.net/10097/58706

◇OCRの導入による業務効率の効果

1. 画像をテキスト化し検索性が高まる

画像からテキストを認識することができるようになり、いままで目視で探していたものがビュアーソフトで検索できます。そのため探す時間や手間を減らせます。

2. コピー&ペーストが容易になる

OCRで認識したテキストデータをコピー&ペーストできるようになります。書類などの画像データから必要な情報をテキストとして利用できるので便利です。最近ではAI-OCRといって、OCRがさらに進化したソフトがあります。AI-OCRは、AIに学習させることにより文字認識率のアップを実現しています。また、RPA（人が作業していたことをソフトウェアロボットに代行・代替えすること）と連携することで、さらに業務効率化を目指すことができます。

◇OCR導入の成果

枠外への記入、歪みのあるFax、西暦／和暦混在による認識エラーという問題に対して、PFU社が培ったOCRのノウハウを活かし、認識率が向上する様に帳票を改訂し、文字修正率が5.8%から1.7%と1/3に削減され、作業スピードがアップしました。倉庫の入出庫業務は、絶対に間違えられない重要な作業です。しかし、単純作業の繰り返しであり、人手で行うことで間違いも起きやすく、それに伴う手戻りなどのムダな作業が増えることにつながります。人的作業の工程をOCRで自動化することにより、作業ミスがなくなり、単純作業から解放され、創出された新たな時間で別の業務遂行が可能となりました。電子化された文書管理システムに一元管理されたことで、検索スピードがアップし、顧客からの問い合わせに対しても迅速な対応が可能となりました。

06 先進事例・成功事例に学ぶ製造業のDX

製造業DXの先進事例③ ……S社のOCR導入

◇ S社でのOCR導入事例

先ほどの先進事例に続いて、もう1つ、OCRの導入事例をご紹介しましょう。S社は、生産精密機器や実装関連機器など製品物流を行っています。S社は具体的に、「在庫がいくつあるのか」「製品をいくつ入荷したのか」「製品をいくつ出荷するのか」などを正確に管理し、手作業で発生しうる作業ミスを防ぐことに成功しています。

OCR導入によるメリットとして、入出荷作業が自動化され、人の手を介さない業務改善により、新たな時間が創出でき、他業務に振り向けられるようになりました。業務効率化が図れ、働き方改革につながりました。今後は、さらなるOCR適用業務の拡大を図っていくとのことです。具体的には、以下のようなメリットがありました。

1. 入出庫作業のスピードアップ
2. 出荷精度の向上
3. リアルタイムに正確な在庫の把握
4. 人件費の削減

OCRは、現場の入出庫作業をシステムでサポートし、「ヒューマンエラーの防止」「作業時間の短縮」「生産性の向上」などの効果が得られます。工場では、作業のデジタル化で「工程を削減」「作業の標準化」を実現し、課題改善に役立つと感じています。作業が標準化できることはメリットですが、導入費と得られる効果を比較し、導入の有無を見極めることが大切です。

OCR導入前と導入後の効果

導入前

外見や荷姿では商品の識別が困難な半導体を棚札で管理。ロットごとの管理もアナログで行っていました。

導入後

・ラベル発行機能を活用し、入荷時点でラベルを発行・貼り付け管理を行っています。

・ロット・ロケーション別の在庫情報も手元のモバイル端末で確認しています。

効果

出荷精度が15倍になりました。

▲多くの商品が並ぶ倉庫内。OCRがあれば業務効率化が実現できます。

製造業DXの先進事例④ ……中小製造業の事例

中小企業におけるDXの進め方

中小企業においては、大企業のような「システム開発専門部署」の設置は少なく、ネットワークの「監理」「保守」で手いっぱいというのが実情です。小規模企業は、大企業では当たり前の様に利用されているITツールが、ほとんど利用されていないことも珍しくありません。現場での課題を洗い出し、「改善」を考える習慣をつけることが、デジタル化、システム化構築し、ひいてはDX化を進めることになるでしょう。**Bluetooth**、**タブレット端末**、**デシタルサイネージ**、**ドライブレコーダー**などを実施している中小企業の事例を紹介します。身近にあるITツールを活用することで、「生産性向上」「効率化」を図れることがわかるでしょう。

Bluetoothの活用事例

Bluetoothは、携帯情報機器などで数メートル程度の距離を接続するのに用いられる近距離（短距離）無線通信の標準規格の1つです。コンピュータと周辺機器を接続したり、スマートフォンやデジタル家電でデータを送受信したりするのによく用いられます。スウェーデンのエリクソン（Ericsson）社が開発したもので、IEEE 802.15.1として標準化されています。工場内の、完成品を出荷する段階での業務、物流センターや倉庫などでの、製品の仕分け業務で活用されています。

具体例を紹介しますと、例えば、物品のアソート（詰め合わせ）という業務があり、1箱に10種類の製品を梱包して出荷するとします。数量の確認が大事ですが、人の目視だけでは出荷スピードの関係もあり、品質担保が難しいです。そこで、デジタル無線で連携し、10個の「最低重量と最高重量」の範囲を登録させ、その範囲を下回るもしくは上回る場合、モニター上でアラームを鳴らし、作業効率アップにつなげています。例えば、完成品倉庫で、入荷の際には、入荷した商品をあらかじめ分けられている保管場所に分類したり、また、出荷の際には、「お客様の注文内容どおりに複数の商品を組み合わせて梱包することが効率的に行なえるようになりました。

◇BluetoothとWi-Fiはいったいどう違うのか？

Wi-Fiは複数の機器を同時接続させるため、インターネットにつながるハブのような役割として作られています。通信速度も非常に速く、大量のデータ通信が得意です。ただし、そのぶん、消費電力が大きいため、コンセントから電力供給できるルーターのような据え置き型の機器に採用されています。一方Bluetoothは、1対1での通信を想定して作られた技術です。通信速度・通信距離共にWi-Fiと比べて弱いですが、消費電力が少なく、キーボードやマウスといった長時間使用する機器に導入できるのがメリットです。これらの機器は一度に通信するデータ量が小さいため、データの遅延は起こりにくいです。

Bluetoothの使い方はシンプルです。最初に機器同士を認識させる「ペアリング」を行います。やり方は簡単で、まずは受信側（スマホやPC）のBluetooth設定をオンにします。iPhoneなら、コントロールセンターからワンタップでできます。次に、送信側（イヤホンなど）のBluetoothマークを押します（ものによっては不要な場合もある）。続いて、iPhoneの「設定」アプリから［Bluetooth］をタップすると、受信側の画面上に接続可能な機器が一覧されるので、あとは対象を選択します。

◇デジタル化するアソート作業「DAS」

物流が発達している現在は、DAS（デジタルアソートシステム）という仕組みを導入している物流センターもあります。これは、デジタル表示器が保管棚ごとに設置されており、そこに表示される商品投入数を作業者が仕分けしていけばよいという仕組みで、生産性を高めたり、ミスを削減できる作業支援システムです。このシステムを導入すれば、商品知識がなくてもできるので、人材に研修をする時間が大幅に削減できるという利点があります。このように、大掛かりではなくとも身近にあるITツールを活用する事での「生産性向上」「効率化」を図ることができます。現場での課題を洗い出し「改善」を考える習慣をつけることが、デジタル化、システム化を構築し、ひいてはDX化を進めるポイントと考えます。

製造業DXの先進事例⑤……中小A社のタブレット端末導入

生産管理などで活用されるタブレット

タブレット端末とは、コンピュータ製品の分類の1つです。板状の筐体の片面が触れて操作できる液晶画面（タッチパネル）になっており、ほとんどの操作を画面に指を触れて行うタイプの製品です。近年では、サブスクリプションで映画やドラマ、スポーツや音楽を楽しむ人が増えていますが、このタブレットを、製造現場に活用している中小製造業A社の事例を紹介しましょう。

製造現場では、このタブレット端末を利用して、指示書や生産日報を入力することで、効率的に生産管理ができます。また、倉庫での作業にも活用されています。作業の手順書には、作業をする際に、その都度、確認できるように作られるもので、内容は作業の手順に絞られています。理解を促す目的ではなく、作業をミスなく正確に行う目的で作られます。具体的な内容は、作業の工程や単位作業をまとめたものとなります。「作業手順書」とは、正しい作業の手順を定めた文書です。品質の良い製品を、安く、速く、楽に作ることを目的とした、正しい作業の手順を定めた文書です。作業手順が定められていることで、誰でも最も効率的な手順で求められる作業のアウトプットができます。また、一度定められた手順でも、改善できる点があれば、これを見直すことで、よりよい作業手順書ができていきます。しかし、業務を行う上で、「作業手順書」は、どちらかというと作成が「目的」になり、実際の現場での運用には手順の「変更」の都度、なかなか追いつかずに、キャビネットにファイルだけされているということも多いように思います。

A社では、「手順書」プラス「作業上のポイントの実際の動画」をタブレット端末に格納し、いつどこにいても「確認」することができる運用を始めました。ポイントは、容易に「変更・修正」がすぐメンテナンスできることです。動画は、文書や写真よりも、「理解度」が増し、効果も大きいです。

作業リーダーや責任者は、ポイントをおさえた指導がしやすく、職場内活性化の効果も期待できます。

製造業DXの先進事例⑥……中小B社のドライブレコーダー導入

◇小さなミスの原因をしっかりと把握する

近年急速に普及し始めたドライブレコーダーですが、現在の普及率はタクシー会社をはじめとする「運送関連業種」で80%の普及率で、一般の乗用車への設置も32%の普及となり、今後の設置拡大が見込まれています。

ドライブレコーダーは、近年、あおり運転の抑止や、大事故の一部始終を記録できるものとして、注目を集めています。このドライブレコーダーを、工場内の管理に利用している事例をご紹介します。

中小企業の工場では、次のようなことが頻繁に起こっており、従業員を悩ませています。

・ネジやピンが穴に入らない…
・部品や製品が時々なくなる…
・プレスくずが型につまる…

さらに、ロボットが製品を取り落とすなど、突発的な事故も起きており、ドライブレコーダーの必要性が高まっています。ドライブレコーダーを活用すると、(1) トラブルが発生した箇所を動画で確認できる、(2) **チョコ停***の原因究明ができるなど、製造現場での異常発生の瞬間を見逃さず、作業ミス防止と生産性向上に役立ちます。

また、あとから異常発生時を探しやすいように、ドライブレコーダー前後の時間は、任意の時間を設定できます。

物流貨物事故の削減と作業品質の向上

設備監視ドライブレコーダーとして、トリガーが入った前後を記録、確認できるソフトが組み込まれたドライブレコーダーがあります。B社では、このドライブレコーダーを貨物荷役に使用する「フォークリフト」へ設置し、活用しています。「運転者へのけん制的な側面」と「物流貨物事故の削減」「作業品質の向上」を目的に、録画された映像を分析し、作業品質向上のポイントを洗い出し、社員向けに勉強会等を開催するなどしています。

ドライブレコーダー導入（図表3-8）

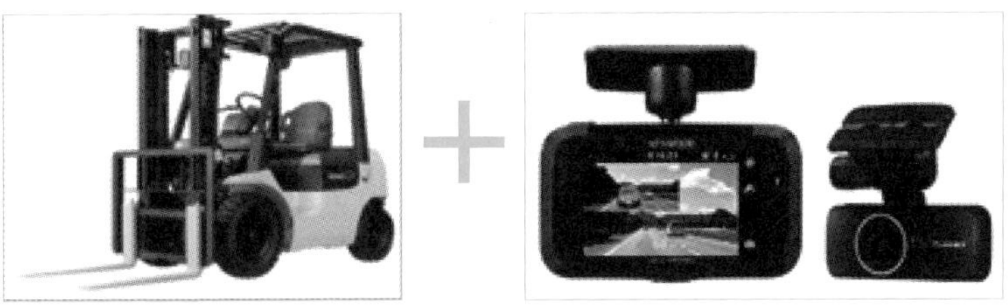

メモ　チョコ停

工場停止で何らかのトラブルが発生し、数分から数十分レベルでの生産停止を指します。

製造業DXの先進事例⑦……中小C社 デジタル・サイネージ導入

説明資料などで役立つデジタル・サイネージ

デジタル・サイネージは、英語でDigital Signageと表記します。日本語では「電子看板」と訳されます。この**デジタル・サイネージ***は、表示と通信にデジタル技術を活用して平面ディスプレイやプロジェクターなどによって映像や文字を表示する情報・広告媒体のことを指します。スーパーマーケット、ドラッグストア、病院、銀行、ホテルなど、様々な場所で広く活用されています。デジタル・サイネージの内蔵記憶装置に多数の表示情報を保持することで、必要ならば秒単位で表示内容を切り替えたり、動画表示を行ったりなど、多様な映像広告を展開できます。ネットワーク対応機の場合には、デジタル通信で表示内容をいつでも受信可能です。

このデジタル・サイネージを活用している中小製造業C社の事例を紹介しましょう。来訪者への会社概要説明や、採用求人時の説明など、会社プロフィールを「紙ベース」で配ったり、説明するよりも、パワーポイントなどでデジタル・サイネージのディスプレイに映し出して、映像や文字などを表示しながら説明する方がスマートで伝わりやすいです。また、修正、加筆も安易に変更できるメリットがあります。社員や社内関係者向けの「連絡事項」や「品質安全」に関する案内告知などを、デジタル・サイネージで行う事で、ビジュアルでわかりやすく周知することができます。

メモ デジタル・サイネージ

デジタル・サイネージは様々なところで利用されています。渋谷駅では、柱や壁など様々なところに設置されています。高さ2メートル、幅25メートルもの巨大なものもあり、乗り換え客に様々なコンテンツを発信しています。

●事例1　従業員全員への情報共有

工場構内だけでなく、本社オフィスからの連絡事項やスケジュールなどを掲載し、パソコンを持っていない従業員にもすばやく平等に情報共有ができます。C社では、従業員全員が見る休憩室などに設置して情報の周知を図っています。

●事例2　事故防止と安全対策

危険が伴うような作業がある場合、過去の事故例を表示したり、具体的な事故をイメージで見せることで、今後の事故防止につなげています。

●事例3　熱中症注意喚起

季節に応じて、熱中症予防の注意喚起をしています。従業員の健康をしっかり守ることでもデジタル・サイネージが役立っています。

デジタル・サイネージ（図表3-9）

memo

4 成功するソフトウェアのデジタル技術者の人材育成に学ぶ

DXによって、エンジニアの行う工程にスムーズな流れを作って作業ロスをなくすことができます。中小製造業DXを成功させるには、システム・アーキテクトのエンジニアの人材教育と育成が不可欠です。

成功するソフトウェアのデジタル技術者の人材育成に学ぶ

システム・アーキテクトのエンジニアの人材育成

製造業のシステム・アーキテクトのエンジニアの人材育成と企業文化について解説していきます。

中小製造業のシステム・アーキテクト

数年前から様々な大規模企業がDX化の取り組みを進めていますが、日本の企業のDXへの取り組みは、諸外国に比べて遅れてしまっています。しかし、製造業の大企業では、工場にロボットを導入して製造工程の自動化を図るなど、他の業界に比べて比較的早い段階からデジタルテクノロジーの導入を行ってきました。

中小製造業における企業文化

中小製造業では、DXの推進に不可欠な、IT技術やソフトウェアのデジタル技術に対応できる人材や**システム・アーキテクト***のエンジニアがいないという状況です。大半の中小企業がこういった問題を抱えています。自社での人材育成が遅れている上に、社外からシステム・アーキテクトのエンジニアの人材を確保することも困難という厳しい状況です。その結果、DXのための資金を投入しても、たいした成果を出せていないのが実情です。これには、中小企業独特の企業文化が影響しています。

メモ　システム・アーキテクト

システム開発における企画や分析、設計といった上流工程を担当します。システム開発の構想や基礎的な設計から携わるポジションであり、クライアント側と開発側の橋渡し役としてプロジェクト全体の調整・とりまとめを行うなど、IT業界ではシステムエンジニアやプログラマーの上級職として位置づけられています。

◇最新ITを活用した設備へ切り替えられない

中小企業では、最新のITを活用した設備への切り替えがなされていないケースが多く見受けられます。これは、IT化を進めるコストの確保が難しいこと、さらにはIT化によって実現できる効果を正しく理解できていないこと、IT化を進める目的が明確になっていないことなどが挙げられます。

また、IT化を進めたとしても、使いこなせるシステム・アーキテクトのエンジニアなどの技術者が不在ということもあり、状況からITシステムの設備の切り替えに苦戦している中小企業は多いです。

◇ソフトウェアのデジタル技術者育成の課題

DX推進には、AIやIoTといった最新のデジタル技術に詳しい人材や、デジタル技術を生かした新たな事業・サービスを企画できる人材が必要不可欠です。

IoTは、従来インターネットに接続されていなかった様々なモノ（センサー機器、駆動装置（アクチュエーター）、住宅・建物、車、家電製品、電子機器など）が、ネットワークを通じてサーバーやクラウドサービスに接続され、相互に情報交換をする仕組みです。読み方は「アイオーティー」で、「Internet of Things」の略からもわかるように「モノのインターネット」という意味で使われています。モノがインターネットと接続されることによって、これまで埋もれていたデータをサーバー上で、処理、変換、分析、連携することが可能になります。このようなIoTの技術を活用することによって、これまでになかった、より高い価値やサービス生み出すことが可能になります。

また、センサーやデバイスといった機器、通信インフラ、クラウドサービスの高性能化、低価格化が追い風になり、IoTの導入がより身近なものになってきています。

AIとは、人工知能（Artificial Intelligence）のことで、人間が行う「知的活動」をコンピュータープログラムとして実現することです。知的活動とは、頭（厳密には脳）で考えて実行する活動全般のことです。例えば「絵を描く」「言葉を認識する」「ゲームをする」などなど、あらゆる人間の行動がこれに当てはまります。

大手メーカーのS社では、技術研究部署の社員や製造業の事業所の従業員には、ソフトウェアの人材の層を厚くしなければならないという問題意識を持っており、次のような課題に取り組んでいます。

①進捗状況の把握

ソフトウェア開発の現場では、**ハードウェア***の進捗状況を一目でとらえることができません。ハードウェアとは違うマネジメントの仕方や開発・評価のツールを検討して、開発の効率やツールの精度を上げる必要性があります。

②人材の確保

S社では、ソフトウェアの比重の高いシステム商品の開発をマネジメントできる人材やデジタル技術に詳しい人材や、デジタル技術を活かした新たな事業・サービスを企画できる人材を育てる制度を設けています。

③ノウハウの継承不足

S社の製品の部品を製造している中小製造業では、人材不足やスキル、ノウハウの継承不足といった問題を抱えています。さらに、工場では従来の課題に加えて、新型コロナウイルス流行を背景にした工場での働き方の変革をはじめ、市場や需要の急激な変動に対して、臨機応変に対応する必要に迫られています。DX推進のため、社員にデジタル技術の習得をさせるため、企業研修などの充実や、ITシステムの内製化を進めています。

メモ　ハードウェア

コンピューターなどのシステムにおいて、機械、装置、設備、部品といった物理的な構成要素をいいます。ソフトウェアとの対比語であり、単に「ハード」とも呼ばれます。転じて、コンピューターとは無関係な分野においても、物理的な設備・施設・車両などを「ハードウェア」、物理的な形を持たない規則・運用・教育・技術・ノウハウなどを「ソフトウェア」と呼ぶことがあります。

幅広いバックグラウンドが要求されるシステム・アーキテクト

現在、製造業最大手S社には、2万人近いエンジニアがいますが、そのうち、少しでもソフトウェアの業務に関わったことがあるエンジニアは3分の1に満たないだろうと責任者は考えています。さらに責任者はこれから3年以内、ソフトウェアとハードウェアに関わるエンジニアを同数にしたいと考えており、ハードとソフトの両方を理解している人材の確保に強い意欲を現わしています。

専門学校・大学・大学院でIT技術やソフトウェアのデジタル技術を習得した新人や中途採用者だけでなく、事業所や社内で、ハードウェアを担当している人がソフトを担当することも歓迎するなど、DXの推進に積極的です。大きなシステムを開発しようとする際には、ハードとソフトの両方を理解している必要があるのです。

例えば、1つの大規模集積回路**LSI***を新規開発する場合でも、ハードによって実現するのは、どの部分かを的確に判断することが要求されます。システム・アーキテクトは、システム全体を把握できるという意味で、1つの分野を極めている従来の専門職とは異なる、幅広いバックグランドを備えた専門職です。

メモ LSI

集積回路ICのうち、集積度が数百のものを中規模集積回路MSI*は集積度が1000個以上のものを大規模集積回路といいます。集積度とは一つの回路基板または半導体片上に結合されているトランジスタ、ダイオード、抵抗、コンデンサなどの個別部品の数をいい、最近の技術では、5mm角程度の半導体片上に1000個以上の個別部品回路を集積することが可能です。

***MSI**　medium scale integrationの略。

「システム・アーキテクト」の概念図（図表4-1）

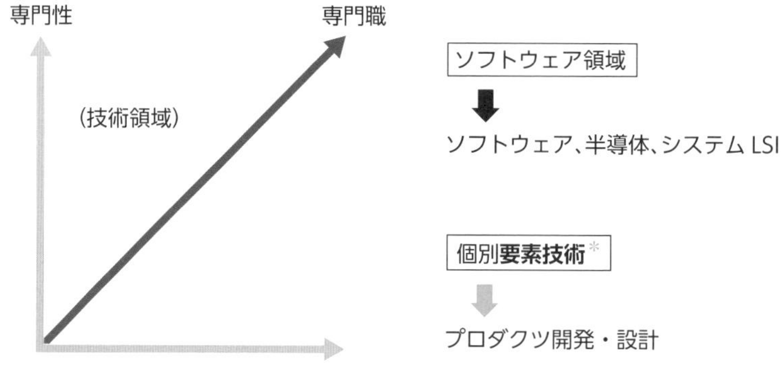

メモ **要素技術**

今後の新製品で他社と差別化を図るために必須の技術のことです。新機能を実現したり圧倒的な性能向上を図ったりするための技術や、大幅なコストダウンを実現する技術のことを指します。ここでは、要素技術の開発計画と合わせて、製品開発の生産性や品質を高めるための「共通アーキテクチャ」と「共通部品」の開発計画も考えます。

成功するソフトウェアのデジタル技術者の人材育成に学ぶ

人材不足はマネジメントで解消できる

IT技術者の人材不足を解消するためのマネジメントとその進め方について解説していきます。

DX人材とは

日本経済産業省は2018年の「DX推進ガイドライン」にて、DXを「企業がビジネス環境の激しい変化に対応し、データとデジタル技術を活用して、顧客や社会のニーズを基に、製品やサービス、ビジネスモデルを変革すると共に、業務そのものや、組織、プロセス、企業文化・風土を変革し、競争上の優位性を確立すること」と定義しました。簡単に言うと、「データの重要性を理解し、適切にデジタル技術と組み合わせ、企業を変革していくこと」です。こうした取り組みを主体的にできる人が、DX人材と呼ばれる人材です。

DXのソフトウエアの開発体制と進め方

本格的なDX時代を迎え、ソフトウェアがAI/IT製品の中に占める重要性が高まってきています。しかし、従来のハードウェアの開発・設計主導型で製品を市場に出してきた家電メーカーなどでは、ソフトウェアの開発にかかる時間やコストを管理する手法が一部の大手のメーカーを除いては、確立されていません。また、ソフトウェアの品質の評価も困難を伴っています。S社でも例外ではありません。特に、S社では**コンシューマー製品***から業務用途まで幅広く扱っており、多様なシステム開発、ソフトウェア開発を行っています。

メモ　コンシューマー製品

中間生産者向けの製品ではなく、末端の、そして大多数の末端消費者をターゲットとする製品のことです。

ソフトウェア、ハードウェアの両方の知識があり、システム全体の開発をマネジメントできる人材が不足しており、開発プロセスもきちんと標準化されていません。

ソフトウェアの開発体制を強化するには

DX時代に即した製品を、タイムリーに世に出していけるように、S社では人材の育成、開発プロセスの整備、管理面でのソフトウェアの評価方法の確立に取り組んでいます（図表4-2）。

ソフトウェアの開発体制(図表4-2)

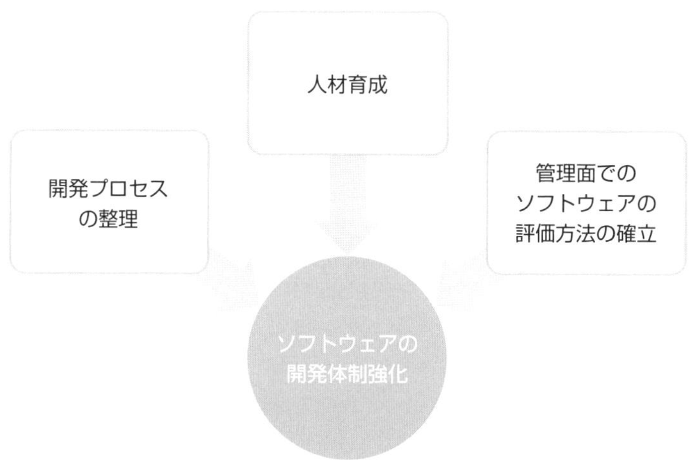

メモ 進捗管理

プロジェクトが計画に対してどの程度進んでいるかを管理することを指します。プロジェクトの進み具合を把握し、もしも計画に対して遅れているようであれば、納期に間に合うように軌道修正することも含まれます。また、納期に対して遅延が予測される場合は、スケジュールに変更を加えたり、作業手順を見直したりといった調整を行うことも、進捗管理において重要な部分です。

ソフトウェアの開発、価値、人材の面から問題を解決する

ソフトウェア開発における問題点とは何でしょうか？　以下3つが挙げられると思います。

①ソフトウェアへの無関心

企業文化や経営者の立場から、ソフトウェアをどのように設計するかという方法論や開発ツール、評価法などが確立していないことに加えて、一番大きな問題は、ソフトウェアそのものが製品であるということが認識されていないことです。これはソフトウェアに対しての無関心を示しています。

②ソフトウェアの仕様が決まらない

社内でDXを企画するときにハードウェアの仕様のみが確定して、ソフトウェアの仕様が決まらないという事例が多く見受けられます。

③工数管理・進捗管理がないまま製造開始

ソフトウェアにかかる**工数管理**や**進捗管理***がされない状態で製造が始まる場合が多いです。工数とは、プロジェクトにおける業務量の単位です。算出方法は、「1つの作業にかかる時間」×「作業に取りかかる人数」や「プロジェクト全体にかかる作業量」÷「スタッフの人数」で算出でき、プロジェクトの大小により人月・人日といった単位で表します。従来は、システム開発や製造の分野で使用されていましたが、様々な業界でプロジェクトマネジメントが必要になり、幅広く使われています。工数管理は、プロジェクトでどの程度工数が必要なのか算出し、進捗状況を把握するために工数を管理することを指します。例えば、あるプロジェクトが3つの作業で構成されており、それぞれの1つの作業あたり10人が30日作業する必要があるとします。その場合、プロジェクト全体で工数が90人日必要と把握でき、そのためにどの程度の予算が必要なのかも計算できます。このように、工数管理を行うことでプロジェクトに必要な予算や人員の算出や進行管理に利用できます。責任者がソフトウェアを外部の会社へ委託する時も、仕様がきちんと決まっていないまま契約し、進捗管理などまったくしない、いわゆる「丸投げ」の状態になっているのです。丸投げとは、官庁や企業や個

人が自ら行っていた業務、あるいは行おうとしている業務と責任を、他の企業・団体・個人へそのまま委託することを指します。

委託する作業範囲を最初に確定しない状態で、外部の会社に依頼するケースが多いので、結果として外部の会社から請求される工数と費用をそのまま受け入れるしかなくなるのです。

社内のソフトウェアの開発に関する問題を把握し、その上で、次の3点に取り組むことで問題解決ができます。

①開発・設計のプロセスの確立

開発・設計の標準的なプロセスを確立して、社内への普及を図ると共に、プロセスの各段階で必要となる開発・設計支援ツールを導入します。

②開発・設計コストの把握

ソフトウェアの開発・設計コストを正確に把握し「DX」としてのソフトウェアの価値を正しく評価する方法を明確にします。

③人材の育成

ソフトウェア／ハードウェア両方を総合的にマネジメントできる人材を育てます。

社内ソフトウェア開発の問題解決への取り組み(図表4-3)

開発・設計支援ツールの導入

ソフトウェアの価値を正しく
評価する方法

ソフトウェア/ハードウェア両方を総
合的にマネジメントできる人材の育成

DXのIT技術者の人材といっても、様々な業種があり、それらの人材がチームとなり、一丸となってDXに取り組むことで進展することができます。

社内ソフトウェア開
発の問題に、各社取
り組んでいます。

メモ ソフトウェア開発

ソフトウェア開発の工程は、要件定義 → 設計 → 開発という流れで進めていきます。ソフトウェア開発に関わる主な業種としては、営業、システムエンジニア、プログラマーなどがあります。

コラム

システム開発と要件定義の流れ

システム開発のプロセスで最初に行うのが現状把握です。システム開発のプロセスでは次の図のようにクライアント（顧客）が要望するシステム開発に向けて、十分に意見をすり合わせてシステム開発を行っていきます。

システム開発のプロセスは次の図のとおりです。クライアントの現状を把握し、問題点を洗い出し、基本設計である「要件定義書」を作成し、必要な書類を作成して検討を重ねていきます。「要件定義書」に沿ってSEとプログラマーが連携してシステムを構築を進め、適宜プログラミングテストを行い、システム開発を行っていきます。

システム開発のプロセス（図表4-4）

システム設計の流れと留意点は次の図表4-5を参照してください。どのような機能を持つシステムを構築していくのか、現状の課題を丁寧に分析し、構築する最適なシステムの業務、システムの仕様、システムの範囲など各部門で検討された内容を反映し、要件定義書を策定していきます。

システム設計では、システムを体系化し、外部設計（インターフェイス設計や画面帳票レイアウト設計）、内部設計（ソフトウェアの詳細、設計書）を作成していきます。

次に、適したプログラム言語（JavaやC＋＋言語など）を選択して、ソースプログラムを入力・実行プログラムを作成していきます。

システム構築の最終段階で、ホワイトボックス、ブラックボックステストを実施後、システムのバグを解消し、最適化を図っていきます。最後にユーザー参加の環境テストを実施すると共に、システム稼働に際してユーザーが安心して導入スタートできるように対応をしていきます。その後は、定期的な保守管理、ソフトウェアの受け入れを行います。

システムを業務で使用する社員（ユーザー）の研修などを要望に応じて実施していきます。

クライアント（顧客）が望むシステムになっているか、要望に応えられているか共通の認識を確認しながらシステム構築を進めていくことが重要です。

システム設計の流れと留意点（図表4-5）

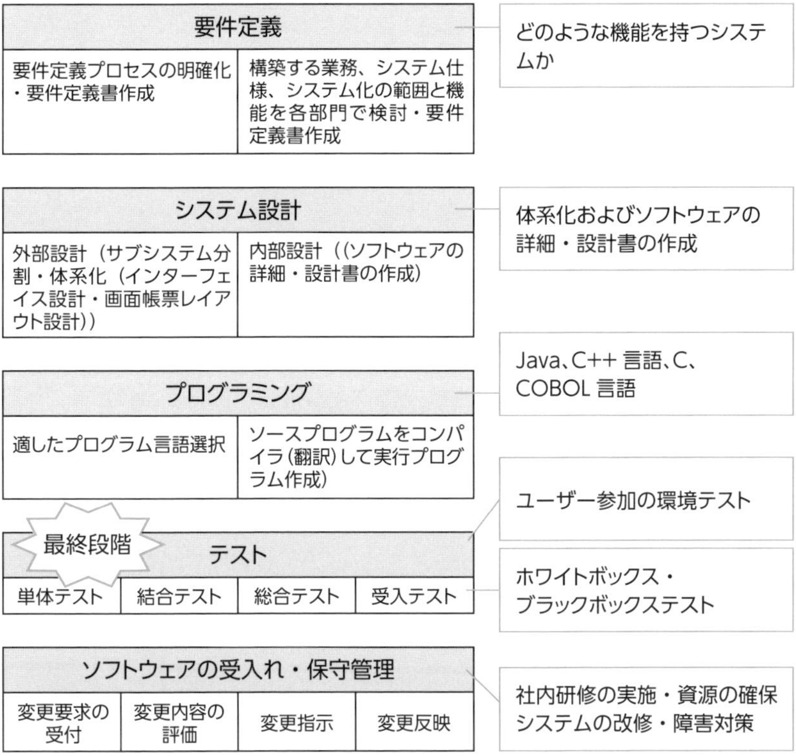

要件定義		
要件定義プロセスの明確化・要件定義書作成	構築する業務、システム仕様、システム化の範囲と機能を各部門で検討・要件定義書作成	どのような機能を持つシステムか

システム設計		
外部設計（サブシステム分割・体系化（インターフェイス設計・画面帳票レイアウト設計））	内部設計（（ソフトウェアの詳細・設計書の作成）	体系化およびソフトウェアの詳細・設計書の作成

プログラミング		
適したプログラム言語選択	ソースプログラムをコンパイラ（翻訳）して実行プログラム作成）	Java、C++ 言語、C、COBOL 言語

テスト（最終段階）				
単体テスト	結合テスト	総合テスト	受入テスト	ユーザー参加の環境テスト／ホワイトボックス・ブラックボックステスト

ソフトウェアの受入れ・保守管理				
変更要求の受付	変更内容の評価	変更指示	変更反映	社内研修の実施・資源の確保 システムの改修・障害対策

参考）野村総合研究所ほか「トラブル知らずのシステム設計」日経BP2018

◇IPA（情報処理推進機構）

下記の説明文は、IT施策の一端を担う政策実施機関の1つである**IPA**＊**（情報処理推進機構）**が定める、DXの代表的な6つの業種について記述された引用文です。

①IPAの定めた6つの業種

業種1：**プロデューサー**

DXの代表的な業種であるプロデューサーは、DXやデジタルビジネスの実現を主導する役割を持った業種です。

プロデューサーには、

・DXへの取り組みの主導
・事業の統括
・チームの良好な関係の維持
・プロジェクトの円滑な進行
・適切で的確な意思決定

など、様々な役割が求められます。プロデューサーは、事業やプロジェクトを行うチームの良好な関係を維持し、プロジェクトが円滑に進められるようにしなくてはなりません。いくら優秀な人材が揃っていても、足並みが揃わなければDX化のプロジェクトは上手くいかないため、主導するプロデューサーの役割は重要です。

メモ　情報処理推進機構（IPA）

情報処理の促進に関する法律に基づき、IT社会推進のための技術や人材についての振興を行う独立行政法人（経済産業省所管）。1970年10月に特別認可法人情報処理振興事業協会として創立され、2004年に現在の形に改組されました。

＊IPA　Information-technology Promotion Agencyの略。

また、プロジェクト事業の進行状況を把握して、進行に遅れが生じてしまわないようにするのもプロデューサーの仕事です。事業を進めていく上での適切で的確な意思決定もプロデューサーが行なわなくてはいけません。自社の業界を理解して将来の動向を把握しながらプロジェクトを進めていく必要があるため、外部の環境を把握する能力も必要になります。

業種2：ビジネスデザイナー

ビジネスデザイナーは、DXやデジタルビジネスの

・企画
・立案
・推進

といった役割を担う業種です。ビジネスデザイナーの主な役割は、ユーザーのニーズから製品やサービスを考え、ビジネスとして展開していく仕組みを作っていくことです。ビジネスデザイナーは、SEEDATAでは、「サービスをビジネス（事業）として成り立たせるために、ビジネスモデル（儲けの仕組み）を設計することができるプロフェッショナル人材」であると定義しています。製品やサービスのアイデアだけでは価値がないということは読者の皆様もひしひしと感じていることかと思います。アイデアというのは実現されて初めて価値を持ちます。しかしユーザーにとって価値がある製品やサービスでもお金にならない、つまりビジネスとして成立しないものが多々ある中で、それらをどのようにビジネスとして成立させるか、社会実装していくかを考え、実行していくことがビジネスデザイナーに求められています。

製品やサービスを作っても必要とされなくては意味がないため、ユーザーのニーズや市場が抱えている課題を把握し、それらを汲み取ってビジネスを考える職種です。考えたビジネスを1つの企画として提案できる状態にするための構築を行うのも、ビジネスデザイナーの大切な役割の1つとなっています。

業種3：アーキテクト

アーキテクトとは、建築家、設計者などの意味を持つ英単語です。ITの分野では、大規模なシステムや製品の全体的な設計を行う技術者を指すことが多いです。情報システムやソフトウェアの開発において、全般的な構造（アーキテクチャ）の設計や、基礎・中核部分の設計や仕様策定、全体のプロジェクト管理などを行う（ことができる）技術者や、そのような業務に従事する職種や職位、チームなどのことを意味します。

「DXやデジタルビジネスに関するシステムを設計できる人材」をアーキテクトと呼びます。アーキテクトの主な役割は、システムの設計ですが、システムを設計する場合、その企業の経営戦略に合わせて設計を行わなくてなりません。また、実際に利用するユーザーのことを考え、取り扱いやすいシステムの設計を考える必要もあります。

システムの設計は、プロジェクトの出来を左右する部分です。

そのため、プログラミングなどのデジタル・テクノロジーに関する知識やスキルはもちろん、経営的な視点やユーザーの使いやすさを考えるデザイナー的な視点も求められます。

業種4：データ・サイエンティスト

データ・サイエンティストとは、様々な意思決定の局面において、データにもとづいて合理的な判断を行えるように意思決定者をサポートする職務またはそれを行う人のことです。統計解析やITのスキルに加えて、ビジネスや市場トレンドなど幅広い知識が求められます。データ・サイエンティストは数学者、コンピューター・サイエンティスト、トレンドスポッターの素養を併せ持っています。また、ビジネスとITどちらの世界にも精通しているため、いまや引く手あまたとなっており、高い収入が見込めます。誰もが憧れる職業のひとつと言えます。

「DXに関するデジタル技術（AI・IoT）やデータ解析に精通した人材」として定義されているのが、データ・サイエンティストです。スマートフォンやタブレットの登場によって、誰もが気軽にインターネットを利用できるようになったことで、インターネットを通して様々なデータが取得できるようになりました。

これをビジネスに活用する役割を担っているのが、データ・サイエンティストと呼ばれる人材です。

取得したビッグデータの分析を行い、それらの分析したデータをどのようにビジネスに活用できるかを考えるのが主な役割になります。

業種5：エンジニア・プログラマ

「デジタルシステムの実装やインフラ構築などを担う人材」と定義されているのが、エンジニア・プログラマです。エンジニア・プログラマは、アーキテクトが設計したシステムを形にしていく業種です。DXを推し進めている企業でなくてもエンジニア・プログラマを欲している企業はたくさんあります。DX人材のエンジニアやプログラマには「ビジネスへの理解」も必要です。DXは「デジタルテクノロジーを活用してビジネスを変革する」のが目的ですので、一般的なエンジニアやプログラマとは異なります。自社で行なっているビジネスへの理解はもちろん、顧客が抱えている課題や社会に求められているものなどについても理解しておかなくてはいけません。プロデューサーやビジネスデザイナーが描き、アーキテクトが設計したシステムを、ビジネス的な意図を理解しながら構築する能力が求められます。

業種6：UXデザイナー

「DXやデジタルビジネスに関するシステムのユーザー向けデザインを担当する人材」と定義されているのが、UXデザイナーです。UXは「User Experience（ユーザーエクスペリエンス）」の略称で、ユーザー体験を意味する言葉です。

どれだけ優れたシステムでもユーザーが快適に使用できるものでなくては意味がありません。ユーザーが使いやすいデザインを実現するのがUXデザイナーの最大の役割になります。DX人材でのUXデザイナーには、プログラマやエンジニア同様ビジネス的な視点を持ちつつ、いかにユーザーが快適に使えるデザインを実現できるかが求められます。

②マネジメントの導入から業務と人材育成の効率化

製造業で人材確保を進めていくには、労働環境を整備して負のイメージからの脱却を図ることが重要です。また、期間従業員や派遣社員、外国人材を登用する方法もあります。あるいは、DX推進や**ナレッジマネジメント***の導入によって、業務や教育体制の効率化を図るなど、業務を遂行する体制を見直すことも人手不足解消に効果的です。ナレッジマネジメントとは、従業員個人が持つ知識やノウハウを企業全体へ展開し活用する経営手法です。このナレッジマネジメントの導入は、人材の流動化に強い組織づくりや業務効率化などに大きく寄与します。

プログラム言語の歴史

コンピューターが処理する手順をプログラム言語で記述したものを「プログラム」といい、処理手順のことを「アルゴリズム」と呼びます。「フローチャート」は、アルゴリズムを図で表したものです。システム設計を行う際に必要となる知識です。

コンピューター上で実行するためにプログラムが必要です。プログラム言語名と特徴を関連して覚えると理解しやすくなります。

プログラミングを理解するためには、次のいくつかの用語の意味をおさえておくとよいでしょう。

「高水準言語」とは、人間の考えに近い形で記述できる言語です。対して、コンピューターのCPU（中央処理演算装置）が解釈し命令を実行できる言語（機械語／マシン語）を機械語と一対一に対応し翻訳するアセンブリ言語（直訳すると、「組み立てる」）があり、これを「低水準言語」と呼んでいます。

コンピューターの中では、高水準言語プログラム・ソースコードをコンピューターが解釈できるように、変換ソフトウェアでマシン語に翻訳・実行可能なプログラム（オブジェクトコード）に変換し命令を実行させます。

高水準言語はマシン語への変換方法により、2種類あります。開発時に一括で変換する（コンパイラ言語）と、実行時に逐次変換（一行ずつ）して実行する（インタプリタ言語（またはスクリプト言語））に分かれ、各変換ソフトを「(コンパイラ(compiler))」、「(インタプリタ (interpreter)」といいます。直訳すると「翻訳者」「通訳者」となります。

「高水準言語」は、英単語や記号などの組み合わせで記述され、制御構文なども人間の思考を理解し表現しやすい構造になっています。

言語仕様はハードウェアの仕様とは切り離されており、様々なプラットフォームで動作する汎用的な（ソフトウェアの開発）に向いています。

「ASCII（アスキー）」は米国規格協会により制定されたもので、コンピューター用の英数字コードとして広く使われています。日本語環境では、「Shift-JIS（シフトジス)」が日本語文字コードの呼び名であり、「EUC(イーユーシー)」は拡張UNIXコードでアジア言語をサポートして採用されている文字コードです。Unicode(ユニコード)は、(C言語)が扱う文字コードです。

プログラミング言語の歴史をみていくと、どのような目的でプログラミング言語が開発され、その他のプログラミング言語の開発に影響を与えたかが理解できます。プログラミング言語の歴史は、次の表に紹介しています。

プログラミング言語の歴史(図表4-6)

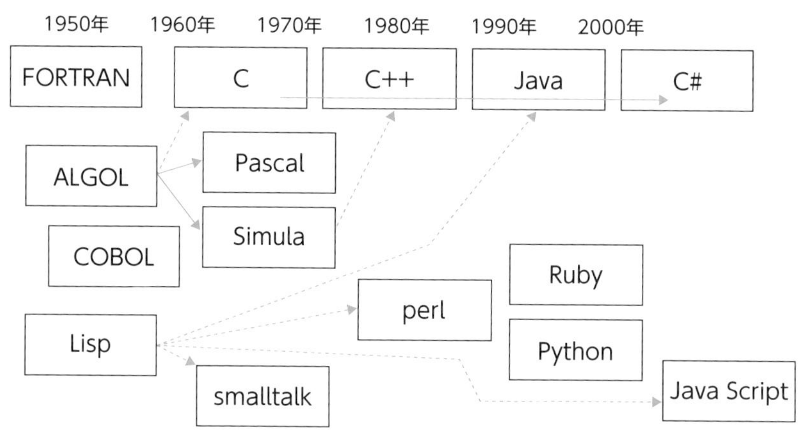

出所　一部加筆
EY-Office https://www.ey-office.com/blog_archive/2018/07/18/self-history-lisp/

主なプログラミング言語の歴史(図表4-7)

開発年	言語名	概要
1956年	Fortran	IBMのジョン・バッカスにより、科学技術計算用として開発された世界最初の高水準言語。数値計算プログラムを簡潔に記述できるFortran(FORmula TRANslation)。
1959年	COBOL	CODASYL:コダシル(Conference on Data Systems Languages、データシステムズ言語協議会)により開発された事務処理用プログラミング言語Common Business Oriented Language(共通事務処理用言語)。

1965年	BASIC	Basic (Beginner's All-Purpose Symbolic Instruction Code) は初期のPC (パーソナルコンピューター) 用の会話型プログラミング言語。
1965年	PL／1	科学技術計算と事務処理の両方の用途で使用できる。
1971年	Pascal	論理や処理の流れを明確に記述する構造化プログラミング言語。
1972年	C	AT&Tベル研究所のデニス・リッチーを中心にシステムプログラム用に開発した汎用プログラミング言語。PCでも広く利用される。
1983年	C++	AT&Tベル研究所の計算機科学者ビャーネ・ストロヴストルップによりC言語を派生させオブジェクト指向を取り入れたC++が開発される。
1984年	Objective-C	C言語をベースにSmalltalk型のオブジェクト指向機能を持たせた上位互換言語としてObjective-Cが開発される。macOSに標準で付属する公式開発言語でiPhone用のアプリケーション開発などに利用されている。
1987年	Perl	ラリー・ウォールによりC言語やその他の優れたプログラミングを取り入れ開発された。実用性と多様性を重視したWeb開発プログラミング言語として利用されている。
1990年	Python	オブジェクト指向言語として開発されたスクリプト言語であるPythonは統計学や解析、分析、人工知能・機械学習などで利用されている。
1991年	Microsoft Visual Basic	Basic言語より派生しMicrosoftにより提供された。主にWindowsのアプリケーション開発をするためのプログラミング言語として開発され、付随してVBA (Visual Basic for Applications) でExcelやAccessなどで利用できるプログラミング言語も開発される。
1995年	Java Script	JavaはC言語をベースにSun Microsystemsより開発されたプログラミング言語。汎用性と安全性の高いマルチプラットフォームに対応し、PC向けアプリやWebアプリ、IoT家電などで使用されている。
1995年	Ruby	Rubyはまつもとゆきひろにより開発され、日本初の国際電気標準会議 (IEC) 国際規格に認証されたオブジェクト指向スクリプト言語。Web開発やショッピングサイト構築、SNSのフレームワークを使った開発に多く利用されている。

その他、1970年後半には、プログラミング言語とは異なりますが、リレーショナルデータベースに蓄積したデータを操作したり定義したりするためのデータベース操作言語であるデータベースプログラムが開発されています。Excelのフィルタ機能 (データの取得、登録、更新やデータを特定するための条件検索) と同じ役割をする現在のデータベースシステム開発で必要なSQL＊構造化問合せ言語として開発されました。

物流システムや会計システムなど企業のDX化においても不可欠な、RDB＊関係データベースシステムの働きや構造を理解することは重要です。基礎知識として理解を深めておくとよいでしょう。

＊**SQL**　Structured Query Languageの略。
＊**RDB**　Relational Data Baseの略。

成功するソフトウェアのデジタル技術者の人材育成に学ぶ

スマートファクトリー

工場の変革、スマートファクトリーについて詳しく説明していきます。

スマートファクトリーという製造業の新しいあり方

スマートファクトリーとは、ロボットやAI、IoTといった先進技術を導入することで、生産における負担の削減など、多角的に生産性を向上させていく新しい製造業のあり方です。生産設備そのものにセンサーと呼ばれる感知器などを使用して様々な情報を計測して数値化する技術のセンシング機能を搭載し、作業データをネットワークで共有するなど、生産プロセスの可視化や部門間の連携強化にとりわけ大きな効果が期待されています。センシング技術とは、センサーと呼ばれる感知器などを使用して様々な情報を計測して数値化する技術の総称です。計測して数値化できる情報には、温度・音量・明るさ・耐久性などの要素があり多くの場所で活用が可能です。スマートファクトリーはもともと、ドイツ政府の提唱する**インダストリー4.0**[*]というコンセプトに端を発する概念です。ドイツが提唱する「インダストリー4.0」を実現するスマートファクトリーという見方もあります。参考文献として総務省発行の平成30年版「情報白書」の「インダストリー4.0」を見てみましょう。

メモ　インダストリー4.0

インダストリー4.0の基本原則は、機械と工作物とシステムを接続することによって、事業がお互いを自律的に制御できるバリューチェーン全体に沿った自動制御ネットワークを構築することです。

インダストリー4.0（要約）

「第４次産業革命」という意味合いを持つ名称であり、水力・蒸気機関を活用した機械製造設備が導入された第１次産業革命、石油と電力を活用した大量生産が始まった第２次産業革命、IT技術を活用し出した第３次産業革命に続く歴史的な変化として位置付けられています。

「インダストリー4.0」の主眼は、スマート工場を中心としたエコシステムの構築です。人間、機械、その他の企業資源が互いに通信することで、各製品がいつ製造されたか、そしてどこに納品されるべきかといった情報を共有し、製造プロセスをより円滑なものにすること、さらに既存のバリューチェーンの変革や新たなビジネスモデルの構築をもたらすことを目的としています。これらの仕組みの整備が進めば、たとえば大量生産の仕組みを活用しながらオーダーメードの製品作りを行う「マス・カスタマイゼーション」が実現します。

民間企業が主導する米国のインダストリアル・インターネット・コンソーシアム（IIC）とは対照的に、ドイツの「インダストリー4.0」は、政府が旗振り役を務めている点に特徴があります。ドイツ連邦政府は、2011年に「2020年に向けたハイテク戦略の実行計画」に示された10施策の一つとして「インダストリー4.0」構想を公表しました（翌2012年に承認5）。2013年4月には、ドイツの大手ソフトウェア企業SAPの元社長でドイツ工学アカデミー会長のヘニング・カガーマン氏を中心とするワーキング・グループが「インダストリー4.0導入に向けた提言書」をまとめると同時に、「プラットフォームインダストリー4.0」が設立されました。このプラットフォームを通じて、連邦経済エネルギー省、連邦教育研究省、連邦内務省といった政府機関に加えて、ドイツ機械工業連盟（VDMA）、ドイツIT・通信・ニューメディア産業連合会（BITKOM）、ドイツ電気・電子工業連盟（ZVEI）などの業界団体さらにはフラウンホーファー研究所といった研究機関やBoschを始めとする民間企業を含めた産官学連携体制が構築されています。

2018年2月時点で、「プラットフォームインダストリー4.0」は「インダストリー4.0」の取り組みを実際的な利用環境の下で具現化するために、様々な適用領域の作成に注力しています。どの場所において、どのような取り組みが行われているかを地図上に示した「use cases Industrie 4.0」にはドイツ国内の分として約170の事例が記載されています。先進的な取り組みの一つとして、Bosch社が低価格帯で販売することを想定して開発した、生産設備やERPシステムなどとの通信を生かして自律的に作動する搬送ロボットなどが紹介されています。

上記の引用文に表現されたスマートファクトリーは、「第4次産業革命」という意味合いを持ち、製造業DXの成功をけん引するものとなります。

一般的な工場と「スマートファクトリー」の違い

ドイツが提唱する「インダストリー4.0」のように、一般的な工場と、デジタル化が進んでいる「スマートファクトリー」との間に、どんな違いがあるのでしょうか。単に、デジタル機器やIoTなどのIT技術のシステムの違いだけで判断するのでなく、基本的に何が違うのかを考えると、一般的な工場と「スマートファクトリー」の違いは、人々の働き方にあると思います。

一般的な工場では「従業員が行う作業」と「機械が行う作業」を、最初は「できるかできないか」、次に「単体業務を比較した場合のコスト」で仕分けして、分担してきました。例えば、工場内倉庫から製造ラインの現場まで、従業員の能力を越える重い部品の搬送であれば「従業員ができない」ために機械が行います。また、工場の製造組みラインで整列された電機製品の部品をコンベアに整列し直す仕事は、従業員による作業の方がコスト的に有利なために、従業員が行うといった具合にコスト比較して安い方を選択しています。また、自動検査システムのように自動化するコストよりも、人による検査の方が安い場合は人による検査方法を選択しがちです。

それに対して「スマートファクトリー」は、基本的に自動化できるものであれば、自動化する方針です。人が行う方が安いですが、リアルタイム性や正確性を考えると、自動化する方が有利なのです。

これらのことから、「スマートファクトリー」では、人々はより自動化が難しい作業や業務に就くことになり、自動化すべき領域と、人がすべき領域の境界線が移動し、徐々に自動化すべき領域の面積が広がってきます。

DXの普及と共に、この流れは日増しに加速しています。「スマートファクトリー」が拡大すると、仕事がなくなると心配する人がいます。人件費の安い開発途上国への工場の移転などで、「日本のモノづくり」が一時的に弱くなりましたが、品質レベルの高いデジタル機器の普及発展に伴い、新しいビジネスが生まれています。パソコンが普及する前に、**ITエンジニア***という職業は存在しませんでしたが、いまではパソコンやスマートフォンなどの普及拡大でITエンジニアの仕事が劇的に増加しています。工場での仕事も、DXの普及で「いまの単純作業」はなくなりますが、スマートファクトリー管理、どうしても自動化できない作業や難易度の高い仕事といった業務にシフトすることにより、さらに、デジタル技術の進歩がDX化をさらに推し進めていきます。

スマートファクトリー実現への3ステップ

デジタル技術の活用により、高品質・高付加価値な製品を低コストかつ短期間で効率的に製造・物流することを可能にします。「スマートファクトリー」の実現には、次の3ステップがあります。

①データの見える化
②制御
③自動化

工場が自動化しても、人の判断の方が正確なことも多いです。ロボット、各種センサーと人が連携して、スマートファクトリーを運営することも将来実現するでしょう。

メモ ITエンジニア

一般的に、「プログラマー」「システムエンジニア（SE）」「Webエンジニア」「ネットワークエンジニア」など「ITに関わる技術者全般」のことを指します。

ただし、AI、ロボットなど、大規模な自動化には莫大な投資が必要となり、経営リスクも大きくなります。

スマートファクトリー(図表4-8)

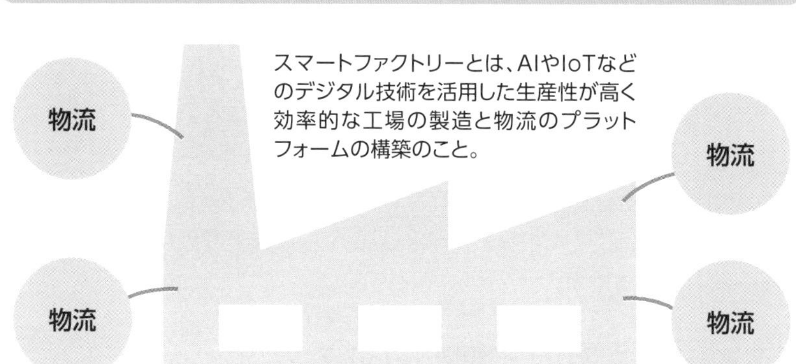

◇現場を効率的に

スマートファクトリーは、製造現場の様々な機器、材料、手順、人をデジタルで捉え、生産性向上、労働災害防止を目指します。

国内外の工場を遠隔監視し、どこで、何が起きているのか、稼働状況や問題をリアルタイムに可視化します。また、ロボットや自動判別システムの導入より、現場の自動化が可能です。設計と生産現場のデータ連携によって、設計・生産業務の最適化が実現できます。また、現場のデジタル化により熟練者の知見がノウハウ化され、結果的に技能継承も推進されます。さらに、安全な職場環境を実現します。(図表4-9参照)

スマートファクトリーで実現できること(図表4-9)

生産向上　現場の省人化　技能伝承

デジタル化での解決という方向性

中小製造業では、新型コロナウイルスの感染問題とうまく付き合いながら、経済発展に貢献できる仕組みを日々考えています。半導体の生産不調やコンピューターの性能向上により、安価なパソコンやプリンター、家電製品に内蔵されているマイコンの半導体製造の減少やサプライチェーンの遅れの問題などから、家電製品の店舗には安価な商品が品切れとなり、高級品のパソコンやプリンター、家電製品が店舗の在庫になっています。安価な商品の部品を製造している中小企業の製造業では、部品の注文が突然減少したり、注文の取り消しを受けたり、中小企業の経営は悪化し、既存の生産能力がどこまで対応できるのかのシミュレーションができないのが現実です。

ビジネスの需給変動とシミュレーション

スマートファクトリーが構築されていれば、既存の生産能力がどこまで対応に合わせて、いつどれぐらい製造すればよいかを、実際の工場を稼働させずに、シミュレーションによって最適値を導き出せるようになります。DXを成功させるため、市場のニーズを予測するシミュレーションプロジェクト体制が求められるようになります。

少量多品種生産の工場では、セル生産方式を採用している家電メーカーが多いですが、単一製品を製造し続けている中小製造業は少なくなっています。少量多品種生産とは、多様な種類の製品を少量ずつ生産することです。今日の日本では，広義の意味での機械工業の約7割が，この種の形態をとる製造企業によって占められています。国内の製造業においては、**製品ライフサイクル**の変化により、少量多品種生産のニーズが高くなっています。製品ライフサイクル理論は、商品が市場に出回ってから撤退するまでのあいだに、導入期・成長期・成熟期・衰退期という4つの段階があるとするマーケティング理論です。少量多品種生産の工場においては、スマートファクトリーの機能を享受しやすいです。生産計画の立案もシミュレーションを活用して最適化を行えるので、今後の需給予測や品目ごとに利益を加味しながら今後の生産戦略に活用されるでしょう。

スマートファクトリーの生産戦略（図表4-10）

少量多品種生産　シミュレーション　需要予測

◇生産能力をデジタル化

既存の生産能力がデジタル化することにより、以下のような問題点が解決できます。

問題点

①設計変更内容を製造現場に正確に・迅速に伝えたい
②製造現場の品質課題をフィードバックしたい
③設計や製造の熟練者が持つノウハウを共有・伝承したい

解決

・BOP*軸の設計・生産情報のシームレスなデータ連携
・IoT活用による製造現場の「気づき」フィードバック

*BOP　BOM（部品表）の概念を拡張し、工程設計情報（製造工程、設備、品質計画、製造条件など）を統合管理するコンセプトです。

製造現場でのQCD

品質（Quality）、納期（Delivery）、コスト（Cost）を表すQDCですが、製造業では、Quality（品質）＞Delivery（納期）＞Cost（コスト）だと考えていますので、QCDとはいわずに、QDCといいます。

まず、第1に優先すべきなのは、Quality（品質）です。顧客が求める品質の商品を作らなければ、購入してもらうことはできません。事業を開始する条件として、まずは、顧客が満足する品質の商品を製造することが、第一に優先されなければなりません。

国内の部品メーカーでは、10万点の納品物の中で、たった1点不良が見つかったことで、取引が解除になった例もあります。

2番目は納期です。どんなに優れた商品を低コストで製造できたとしても、納期が守られなければ、顧客の役に立つことはできません。顧客が欲しいときに届けられなければ、続けて購入してもらうことはできないのです。

最後に、Cost（コスト）です。顧客が求める価格を実現できなければ、商品を購入してもらうことはできません。さらに、製造コストを抑えることができなければ、利益を出すことができません。

事業を長期にわたり継続していくためには、利益が必要ですから、できる限り事業に関わるコストを抑えなければなりません。

利益に直結しているように見えるので、コストの優先順位を高く感じるかもしれませんが、よい品質のものを素早く供給できれば、需要が増えて量産効果によりコストは下がります。

QCD（図表4-11）

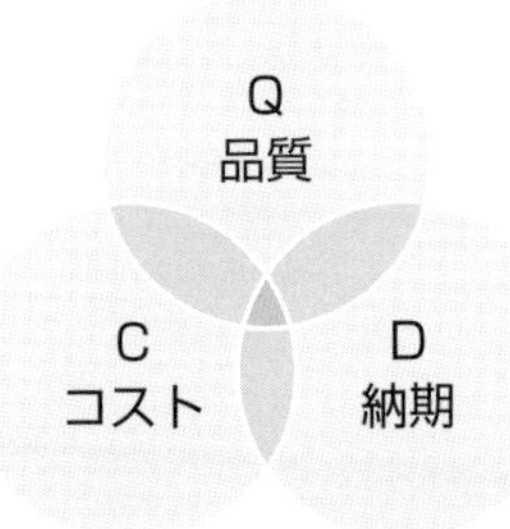

◇問題点解決事例① 生産性の向上

問題点

・工場のボトルネックの特定、対策をスムーズに行いたい。

・突発事後の早期特定、対策をスムーズに行いたい。

・生産計画立案の精度を上げて、さらに、属人化も解消したい

＊注）属人化とは、特定の従業員がある業務に長けているが、そのノウハウを他の人に展開できていない状態のことです。「この仕事なら○○さんに頼もう」という状態は、どの職場でもよく見られるのではないでしょうか。しかし、頼りにしている従業員が何らかの理由で欠けた場合、誰もその従業員の仕事ができない状態では、業務に支障をきたします。

⬇

解決

・製造現場デジタルツイン化による可視化、分析、対策

・製造現場IoT活用による、実績に基づいた計画立案

デジタルツイン（DigitalTwin）とは、現実の世界から収集した様々なデータを、まるで双子であるかのように、コンピューター上で再現する技術のことです。コンピューター上では、収集した膨大なデータを元に、限りなく現実に近い物理的なシミュレーションが可能となり、自社製品の製造工程やサービスの在り方をより改善する上で有効な手段となります。例えば製造ラインの一部を変更する場合など、事前にデジタルツイン上でテスト運営することで、開発期間やコストの削減が見込めます。

また、IoTを活用してリアルタイムの情報も取り込んでいくことで、商品の故障予知に役立てることもできます。例えば同じ製造工程を経て出荷された2つの製品があった場合、出荷後の稼働状況をIoT技術により集約・分析すると、使われ方の違いを把握することができます。これらのデータを蓄積すれば、故障する可能性を事前に察知し、故障する前に使用を停止させるようアラートを上げることも可能になります。

◇問題点解決事例② 現場の省人化と安全

問題点

・現場作業員の省人化を図りたい

・現場実績データを活用した品質改善活動を行いたい

⬇

解決

・**製造実行システム（MES）** *導入による無人化・省人化の実現

※世界各地に点在する工場の製造活動を監視、同期化し、中央拠点とリアルタイムで連携させて、最適なパフォーマンスを発揮させます。

※工場フロアの製品／注文情報の追跡、取引データ収集、財務／企画システム用のレポート生成、注文データ送信、製造ラインのオペレーターへの製造指示といった一連の作業はすべてこの製造実行システム（MES）で実行します。

※品質データをリアルタイムにチェックする、歩留まりを監視する、仕様とビジネスルールを自動的に強制適用する、製造済みロット／バッチ／装置／単位を追跡するといった機能があり、製造の人的エラー排除と、製品およびプロセス品質と生産性の向上を実現します。

※安全衛生のデジタ化による安全な職場を実現します。

メモ 製造実行システム（MES *）

製造実行システムMESは、生産管理システムから見ると、MESは工程管理に近い位置付けになります。特徴としては、工場の生産ラインの各製造工程と連携できることや作業手順管理、入荷・出荷管理、品質管理、保守管理など11の機能を状況に応じて利用することができます。

*MES　Manufacturing Execution Systemの略。

製造業では、労働人口の減少や作業者の高齢化が進む中、作業現場において、労働災害を防止し、労働者の安全と健康を確保することは企業にとって重要な課題となっています。特に、近年、厳しい夏の暑さにより、作業員が体調不良となる危険性が増しており、安全衛生管理部門や現場の管理者が作業員の状況をタイムリーに把握し、適切な安全対策を行うことが必要です。

◇問題点解決事例③ 技能継承

問題点

・熟練技術者の技能伝承が必要

・人材不足に対応できる体制が必要

↓

解決

・AI技術による熟練者知見をデジタル化する

近年、AI技術の1つであるディープラーニングによる画像認識は、人の識別能力を超える性能が出るようになってきています。従来の画像認識と異なり、識別対象の画像とその答えをセットにした教師データを用意すれば、人が認識ルールを定義しなくても、識別に最適なアルゴリズムをAIが学習してくれます。熟練者の判断結果を教師データとして蓄積しAIが学習することによって、熟練者の知見を継承したAIを作ることが可能になりつつあります。例えば、素材や加工品をカメラで撮影した画像からAIが良・不良を判定することで、検査品質を均質化し、作業時間を短縮できます。さらに、AIの判定結果を参考にすることで、熟練者の知見を継承することも可能となります。

コラム

世界デジタルサミット2021 DX導入事例

「世界デジタルサミット」(※1) は1998年からほぼ毎年、日本で国内外より世界最先端のIT関連の有力企業経営者や有識者を招いて開催されています。一般の人も無料で参加できるイベントです (主催:日本経済新聞社主催、後援:総務省)。

2020年と2021はコロナ禍のため、無観客のオンラインでの開催でしたが、ライブ配信およびアーカイブ配信を行っています (※2)

2021年度のテーマは「ポスト・ニューノーマル〜レジリエントな社会を目指して」と題し、人工知能 (AI) や高速通信規格5G技術が支えるデジタル変革をキーワードに世界を席巻するパンデミックからの復興に向け、様々な最新技術が紹介されました。日本からは、デジタル改革担当大臣をはじめ、ソニー、NTTや富士通などの各代表取締役や執行役員が登壇し活発な議論がなされました。

初日のセッションでは「企業の進化を促すデジタル改革 (DX)」をテーマに、デジタル技術を活かしたマネジメントと抜本的な業務の改革を促すDXの阻害要因や導入事例なども取り上げられました。

本コラムでは、サミットで披露されたDX推進をサポートする3社の取り組みや製品について紹介します。

はじめに、Adobe日本法人社長の神山氏によるAdobeのデジタル技術です。生活、仕事の中心にデジタルが欠かせない中、Adobeは「データが体験を牽引し最適化する」との信念から「世界を変えるデジタル体験」を可能とするソリューションを開発しています。コンテンツをデザインする自社の看板製品であるAdobe Creative Designをはじめ、AdobeドキュメントCloud、企業を支えるe-コマースの技術 (※3) を駆使し、データと最高のコンテンツを最速で届けています。

次に、機械学習やディープラーニングを活用する人工知能 (AI) 製品およびAIコンサルタント事業を起業した株式会社シナモン代表の平野氏 (※4) から、人間のように文書を読み取るAI OCRの「Flax Scanner (フラックス・スキャナー)」を中心に、独自開発の人工知能のエンジンについての紹介がありました。平野氏は、日本では人口減少が進み、このままいけば、「2030年には1,000万人の労働人口が不足する」と、日本のGDPを維持していくことが困難な時代がそう遠くない将来に到来すると警鐘を鳴らしました。そこで、「AIを使って次世代の働き方を、どのように実現できるか」という問題意識から、DXの導入サポートを通じて「顧客へのユニークな提供価値」によって企業の競合優位性を高められること、さらに「AIと人が共生する社会が未来の働きである」とAI技術への期待と展望が熱く語られました。

最後は、米国Yext（イエクスト）創業者のハワード・ラーマン氏CEOによる「検索がもたらすDXの潮流」でした。AI技術を導入した検索エンジンYext（イエクスト）（※5）の開発事例が紹介されました。ラーマン氏の新技術は後日、2021年7月1日の日本経済新聞のBusiness Dailyでも紹介されました。記事の中で、利用者が欲する情報をAI技術によって実現した「人間の脳のようなデータベース」である「ナレッジグラフ（検索結果を拡張するための知識ベース）」について語っています。ナレッジグラフは、「最新情報を収集し、そのデータを検索エンジンが理解できるように意味付けし（中略）そのデータベースから正しい最新の企業情報を、グーグルなどの検索や地図サイト、米アップルの『Siri（シリ）』といった音声アシスタントなどに表示させるプラットフォーム」です。AIを使うことで、質問を入力し、的確な情報や解答が容易に得られる技術で、これまでは文字の羅列であった検索結果が有益な情報を提供するデータベースとして提供され、日常生活から仕事までサポートしてくれるようになるというものです。本サービスは2021年3月時点で世界269社が導入しており、日本においても2020年11月リリースされており、今後の普及が期待されます。

AIやIoTを活用した新しいサービスが日進月歩で生まれてくるでしょう。インターネットと「物体（もの）」がつながる社会の事例のように、家電や自動車、各種センサー、生産設備から娯楽ゲームまで様々なスマート技術がインターネットにつながり一体化することで、自宅にいながらにして、目の前でサッカーの試合をグラウンドで視聴するようなVR［Vertual Reality］（仮想現実）技術や畑にタグ付けされたICチップやコンピュータがつながり最適な温度を計測し、野菜を育てる技術や天候予測とセンサーデータを組み合わせ、予測データを提供する技術も実用化されています。（図表4-12）自社の日常業務をDX化することで自動化・効率化され、新たに生まれる時間や労働力を新たなビジネスに活かし、どのように活用していけるか考えてみてください。

IoT機器（センサー）とクラウド（サーバ）データを組み合わせた事例（図表4-12）

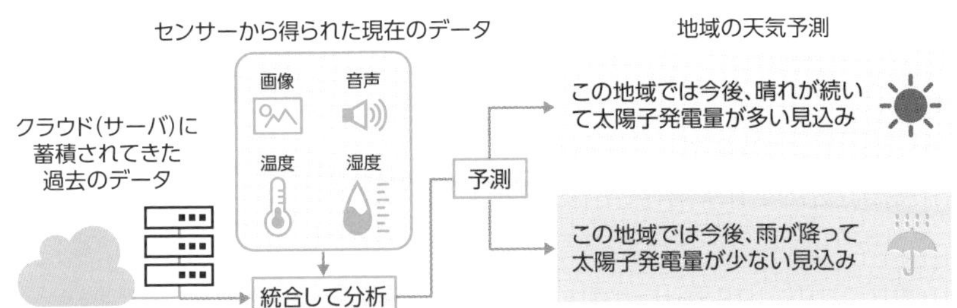

総務省　ICTスキル総合習得教材より転載

最後にコロナ禍の閉塞感から飛び出し、身近に最新技術やサービスに触れることのできる日本経済新聞社の映像ポータルや3DビューとVR映像を組み合わせた国立科学博物館のウェブサイト（※6）も紹介します。未来の技術にふれ、新しい体験を通して発想を豊かにしてみてください。

※1　1998年に「世界情報通信サミット」の名称でスタートし、時代にあわせて名称をかえながら発展。2008年には「世界ICTサミット」、2018年からは現在の「世界デジタルサミット」として日本で開催されている最新技術が紹介される一大イベントです。

※2　世界デジタルサミット2021　https://www.digital-summit.jp/2021/
世界デジタルサミット動画配信NIKKEI CHANNEL｜日経が発信する映像ポータル

※3　アドビ：クリエイティブ／マーケティング／文書管理ソリューション（adobe.com）

※4　シナモン平野未来氏「事業の成功に必要なのはタイミング」｜STARTUP DB MEDIA｜日々進化する、成長産業領域に特化した情報プラットフォーム（startup-db.com）Company info - 株式会社シナモン / Cinnamon Inc.

※5　Yext（イエクスト）検索のクラウドプラットフォーム

※6　国立科学博物館　おうちで体験！かはくVR -国立科学博物館-（kahaku.go.jp）

参考）日本IBM　https//www.ibm.com

RFIDによる製品管理

コロナ禍で、非接触への取り組みが急務となりました。ここでは、RFIDについて詳しく説明していきます。

コロナ禍で非接触を実現するRFID技術

RFID＊とは、記録媒体であるICタグ（RFIDタグ）に登録された情報を、無線電波によって、接触することなく読み書きする仕組みのことです。Suica交通系ICカードや、高速道路のETCカードなど身近な実例が多くあります。回転寿司でも、皿の裏にRFIDタグを貼って、鮮度管理を行うなど多くの分野で活用されています。

RFIDには（1）非接触でデータの読み書き（Read/Write）が可能（2）電波や電磁界で交信するため、**タグ**＊の表面が見えなくても機能する（3）複数タグの一括読み取りができる、という機能があり、これらの機能を活用して、工場や倉庫では作業ミス防止と生産性向上に成果を上げています。

倉庫から製造ラインに部品支給にRFIDの活用

RFIDには、下記の４つの機能があります。

①複数のタグを一括で読み取れる

いままでは、商品のタグを1つひとつ読み取り、手間も時間もかかっていましたが、RFIDを使用すると、タグを1つひとつ探して読み取る必要がなく、スキャナをかざすだけでタグを一括で読み取れます。**バーコード**＊での運用に比べ、約1/10の時間で棚卸が完了します。

②距離が離れていても読み取れる

いままでは、高いところにあるバーコードは、脚立を使って読み取っていました。RFIDを使用すると遠くのタグも読み取ることができ、高い場所の

＊**RFID**　Radio Frequency Identificationの略。
＊**タグ**　電波（電磁波）を用いて、内蔵したメモリのデータを非接触で読み書きする情報媒体です。
＊**バーコード**　光の反射率の違いによって、情報を機械で自動的に読み取りできるように表現したものです。

タグも脚立を使わず読み取りが可能です。作業時間の短縮はもちろん、作業者の安全確保にもつながります。

③箱の中に隠れているタグも読み取れる

いままでは、それぞれの箱を開けてバーコードを1つひとつ読み取っていましたが、RFIDを使用すると、箱を開けずに一括読み取りが可能ですので、作業効率が大幅にアップします。

④表面が汚れていても読み取れる

バーコードでは、テープが貼りついてしまったときや、インクで汚れてしまったなど、タグが汚れている場合は読み取れないですが、RFIDを使用すると、タグの表面が汚れてしまっても読み取ることができます。

RFIDによる製品管理(図表4-13)

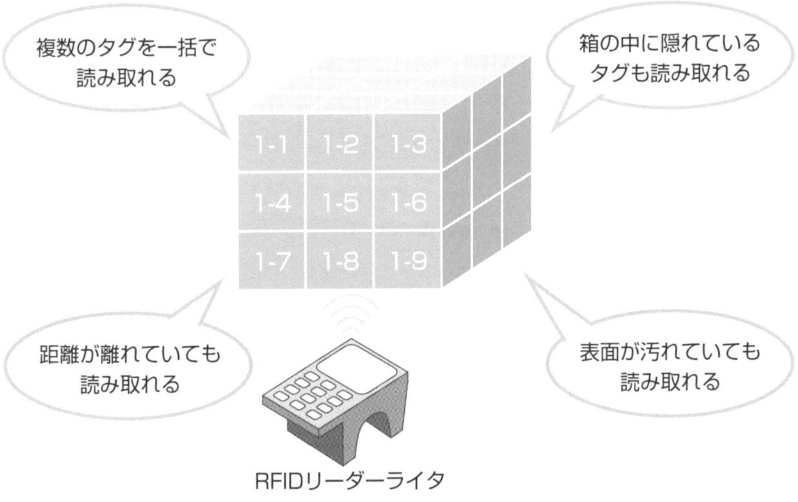

物流管理におけるRFID

非接触で複数タグの読み書きが可能という利点から、RFIDは物流管理のシーンで活用されています。RFIDを導入したことで、入出庫時の検品や**棚卸***を、1件ずつではなく一括で処理できるようになり、次のような作業効率が大幅に改善しています。

①入荷検品をスピード検品
②固定資産管理をリアルタイムに物流管理ができる
③複数のタグを一気にスキャンできる

バーコードとRFIDの違い

①読み取れる情報量の多さ

バーコードは、商品ごとにコードを1つずつバーコードスキャナで読み取らなければなりません。また、RFIDと比較すると登録できる情報量は少なく、いつどこの工場で生産されたか、どのようなルートを通ってきたかといった詳細な情報は登録することができません。また、一度登録した情報を書き換えることも不可能です。

②情報の更新が迅速

RFIDは、半導体チップに情報を登録しているので、必要に応じて多くの情報を登録することができ、情報の更新も可能です。無線通信のため、棚にRFIDタグを読み取る装置を付けておけば、該当商品の在庫が一定量を下回った段階で補充を促したり、自動発注するような仕組みを作ることができます。

RFIDの活用により、人手を多く使わなくても、一括で複数の情報を読み取ることができるため、人的コストの削減にもつながります。

*棚卸　決算日において残っている商品や製品などの在庫の数量をかぞえ、在庫の金額がどれだけあるかを計算することです。

「作業分析」「作業改善」ツール

企業内での「作業」をビデオで撮影し、パソコン上で映像を再生しながら「作業分析」や「作業改善」を支援するソフトのツールがあります。

日頃の製造業務や物流業務を行う中で、その一連の工程をビデオで撮影し、誰にでも作業ができて、さらに、改善活動ができる様に、効率的に現場の「ボトルネック」を見つけ、その改善策を見出すことを目的にするツールです。作業要素表に対応した作業員の動作ごとに時間データを自動取り込みができて、問題点や気付いた点をメモとしてPCに登録します。

熟練者と初心者の映像再生から、その比較検証や、作業スピートの差、作業手順の違い確認などを明確に「データ」として、正確な時間測定や作業分析が可能になり、得られたデータを様々な「グラフ化」に加工することができ、作業の「見える化」が可能となります。さらに、映像量をもとに、作業員の「作業改善」を支援するツールは、標準作業の方法や技能伝承に有効活用できる機能を持たせており、生産性の改善から作業員の教育まで一貫して活用することができます。

工数シェア・負荷シェアからのマッチングツール

マッチングツールとは、工場や倉庫の建屋の構造上、作業現場がフロアごとに業務に分かれる場合、生産ラインの各工程の「工数」や「負荷」を計測したデータと、作業日程の、日・週・月、時間帯での「工数」の実績データを比較し、生産性向上との相乗効果をはかれるツールです。

この方法で、担当者・スタッフの1日の時間帯ごとの「作業内容」をインプットし、その集積データを分析する仕組みで、いままでは「人の手」で、解読・分析していたものを、かなりの工数を削減できると共に、「大量」のデータも解読分析が可能になることは非常に有効だと思います。

無人倉庫

スマートファクトリーとは、AIやIoTなどのデジタル技術を活用した生産性が高く効率的な工場のことをいい、製造と無人倉庫とが一体化すると、生産に革新が起こります。無人倉庫とは、自動化倉庫（computer controlled warehouse）とも呼びます。倉庫の作業に情報システムを導入し、倉庫業務について、すべて電子計算機の集中制御によって処理されます。リフト、コンベヤなどの自動運搬機器が制御用電子計算機に連動しており、労働力不足が顕在化する中で、無人倉庫は省力化の有力手段と認識され、製造業などで幅広い導入が始まっています。業務効率や安全性が劇的にアップしますが、初期投資費用が高くなります。

日本経済新聞に、「日通、無人倉庫実用化へ」という記事が掲載されました。「2030年代には、日本通運は完全無人倉庫を2030年代めどに実用化する予定です。NECと提携して遠隔操作ロボットなどを導入し、人が介在しない倉庫の実現を目指します。両社は無人倉庫のノウハウを確立して物流企業にロボットやシステムを販売するほか、介護事業などほかの分野でも活躍できるロボットの開発にもつなげたい考えです」

5 成長のための戦略デザイン

製造業の企業がDXを活用しながら、どうやって成長していくのか、戦略デザインについて企業の事例を挙げながら解説していきたいと思います。

01 成長のための戦略デザイン

モノづくりと現場力

製造業における現場力ということについて解説していきます。

◇モノづくりと情報処理技術

日本の製造業における現場力は「自ら解決・改善していく力」であり、現場に直面している従業員達が臨機応変な対応ができるかという意味です。それは「価値の生み出し方」「自ら創造する姿勢」です。また、間接部門のように直接現場と関わらない部署であったとしても、企業の生産活動に関連した業務を実施しています。そのため、働いている工場や事業所、その場所が現場であり、仲間である従業員に価値を提供するために課題を解決し、現状を改善する力が、間接部門の現場力として企業の発展につながっています。中小企業の「モノづくり」の現場力は、長らく大手の日本企業を支える強みであり、欧米の企業と比べたときのアピールポイントでした。この「モノづくり」の現場力を、**情報処理技術***といかに連携して、成長戦略デザインを練り上げる力が重要になってくるでしょう。

◇中小製造業のDX内製化戦略デザイン

自社の成長のために、DX戦略デザインを考える際、DXシステムの開発は、内製するのが一番効率の良いやり方と知っていても、なぜわざわざ効率を落としてまで外注する必要があるのかというと、内製するためには雇用のリスクが伴うからです。

メモ　情報処理技術

IT（情報技術）を活用することで製品や製造プロセスの機能や制御を実現する情報処理技術です。製造プロセスにおける生産性、品質やコストなどの競争力向上にも関わります。具体的には、製品自身の中に組み込まれ、その動作を制御し、目的とする機能を実現するソフトウェア（組込みソフトウェア）を開発する技術ともいえます。

中小製造業でシステムを内製するためにITエンジニア*を雇用するとします。開発が済んだから用済みになってクビとはさすがにできないですから、継続して仕事が提供できない場合は、外注して雇用のリスクを回避することになります。中小企業の製造業の成長のためには、DXシステム戦略デザインを推進するには何が必要なのか見てみましょう。

スマートファクトリーDXの戦略デザインとは

新型コロナウイルスの感染拡大が続き、グローバルな企業活動や人の往来が制限されている状況です。そうした影響は経済活動を直撃し、世界の経済状況は深刻さを増しています。しかし、こうした状況で、日本の中小企業では、いかに情報処理技術を使いこなすかを重要と考えている方も多いですが、製造業である以上「モノづくり」が必ず関係します。「モノづくり」=「製造技術」であれば、情報処理技術に、いかに連携させていくかが重要です。**スマートファクトリー**は、中小製造業では成長のための戦略デザインとして注目されています。スマートファクトリーは、AIやIoTなどのデジタル技術を活用した、生産性が高く効率的な工場のことである。デジタル技術の活用により、高品質・高付加価値な製品を低コストかつ短期間で効率的に製造することが可能となります。

情報処理技術を使いこなすスマートファクトリーの構築には「自動化技術」が重要な要素です。

メモ **ITエンジニア**

IT(情報技術)の技術者たちの総称を指す職業です。ITエンジニアはコンピュータが使いこなせるだけでなく、コミュニケーション能力や文章力などのスキルも必要とされます。

日本企業は、食料品から家電、自動車、繊維などあらゆる製品の自動化に取り組んでいます。自動化が進むことで、生産現場でリアルタイムにデータを収集し、それに基づいた対策を、現場の声を聞きながら進めることができます。製造技術には「自動化技術」が重要な要素であり、この技術が高いレベルで日本の中小企業に蓄積されています。

さらに、中小企業には「現場力」があります。自動化しにくい製造工程では人の作業があり、中小企業には製造の技術に関したノウハウが存在します。自動化された工程でも、自動機を使いこなすノウハウがあります。DXの成長戦略に必要な、「現場力」と「自動化技術」の土壌が中小企業には整っています。

製造業DXの実現のためには、何もかもすべて自前で技術開発を行う必要はありません。「情報処理技術」はソフトウェア**SaaS**＊から最適なものを組み合わせて導入すればよいのです。

一方、製造企業によっては、DXを推進して、新しいビジネスモデルの構築に取り組むことを目的としてDXを推進しようとすると、コストをかけたにも関わらず効果が実感できないという場合もあります。この理由として、製造現場の現実と、収集・分析したデータが一致していないことが考えられます。

製造現場の現実を把握するためのデータを収集し、それに基づいた対策を、現場の声を聞きながら進めることが成長戦略の推進に必要です。最終的に目指すDX後の姿を実現するために、現場に潜んでいる習慣や常識を洗い出すことから始めることが必要なのです。

次はさらに具体的に、「DXを実現するための2つのステップ」を見ていきましょう。

SaaS

「サース」と読みます。これまでパッケージ製品として提供されていたソフトウェアを、インターネット経由でサービスとして提供・利用する形態のことを指します。

＊**SaaS**　Software as Serviceの略。

DXを実現するための2つのステップ

①自動化、業務の効率化を促進

まず、定型業務をデジタル化して効率化することが必要です。例えば、いままで手作業で集計していた不良発生頻度の計算を自動で集計するなどです。

②データ分析からニーズを探る

次に、**市場ニーズ***とモノづくりを連携させることです。ビッグデータの収集・分析を行い、市場の動向をリアルタイムに把握しながら、モノづくりを進めることです。品質の良さはもちろん重要な要素ですが、市場ニーズに合っているかどうか、顧客が潜在的に必要としているものはどういったコトなのかを探る視点が重要になります。市場のニーズとモノづくりを連携させることが重要です。

DXを実現するための2つのステップ(図表5-1)

メモ 市場ニーズ

ユーザーの求めているものをいいます。ニーズが必ずしも表面化されていなくても、潜在的に求めていることを探り当てることが重要になります。

DXシステム開発を内製化したいときに考慮すべきポイント

業務の根幹を担うようなシステムを担える人間を1人にすべきではありません。そんなことをすれば、そのITエンジニアが辞めたり病気になったりしたときに下手したら業務が完全にストップすることにもなりかねません。1人だけしかエンジニアを雇用できないのであれば迷わず外注すべきです。後々の大きなトラブルを回避できます。

情報処理技術の構築には、外注した先が1人体制では無意味です。その外注先のITエンジニアがいなくなったり倒れたりしたらアウトです。そういった意味で外注先として**フリーランス***も要注意です。フリーランスは、特定の企業や団体、組織に専従しておらず、自らの技能を提供することにより社会的に独立した個人事業主である。日本では自由業または自由職業とも呼ばれます。外注先が複数人体制で対応してくれる開発会社であるかどうか、しっかり確認した方がよいでしょう。これは、システム開発に限った話ではありませんが、**内製化***するのであれば原則として複数人での体制とすべきです。内製化とは、「企業が実施する業務を外部の専門業者などに頼らず、自社内のリソースで対応すること」または「外部に委託(アウトソーシング)している業務を自社で対応する体制に切り替えること」をいいます。また、内製化の類義語として「インハウス」という言葉が使用される場合もあります。

メモ **内製化**

今まで外部に委託していた業務を、自社で行なうことをいいます。内製化が実現できれば、コストを大幅に削減することもできるため、各社模索しています。

中小企業でITエンジニアを自社で雇用する

ITエンジニアを雇用してシステムを内製化することは、中小企業の製造業では簡単なことではありませんが、昔と違っていまは技術情報もオープンとなり、いたるところに情報がありますし、IT企業ではない一般の製造業を伴った企業の経営者は、自社で情報処理技術を整えるための社員研修をしたりして、ITエンジニアの育成をすることも必要です。

外注してもどうせ**多重下請け構造**となるSI企業に発注しても、**SES企業**からエンジニアが集められてきます。多重下請け構造とは、発注者（ユーザー企業）から委託された業務が元請け企業から二次請け企業、そして、さらにその下層へと流れていく構造です。IT業界における下請けは「請負契約」と「準委任契約」の2種類があります。成果物（システム含む）の完成を約束する契約で、期日までに成果物を納めることで報酬が支払われます。開発システムの一式が成果物となることが多いです。SES企業とは、所属ITエンジニアを客先に常駐させ、システムの開発や運用にあたらせる会社のことです。派遣や請負と似ていますが、SES事業は、SES企業がITエンジニアへの指揮命令権を持ったままITエンジニアを「労働力」として常駐させる「準委任契約」となるのが、両者の違いです。SESは入社する企業によって明暗が大きく分かれるので、企業情報をしっかり集め、見極める必要があります。SES企業は、IT未経験者でも入社しやすいので、手っ取り早く「未経験」の肩書きを外すため、就職先の選択肢の1つに挙げられます。こんな非効率な仕組みしか提供できないSI企業に発注するくらいなら、自社で効率よくシステムを開発できる体制を作ることを検討すべきです。

中小企業がシステムを内製するということは、雇用のリスクをとるということですが、ITシステムが極めて重要となったいまの時代は、ITエンジニアに任せられる仕事はいくらでもあるはずです。中小企業がシステムを内製することが可能になると、SI企業にシステムを発注する意味はなくなります。そこにお金をかけるくらいなら自社でITエンジニアを雇用して、現状に適した情報化技術のシステムを内製することはDXシステムを成長させる戦略のデザインとして検討すべきです。

DXで業務効率を高めるにはDXシステムの内製化が必要

従来型のSIでデジタル化を推進した場合、自社の業務実行プロセスに合わせたシステムの構築・運用にはコストや時間がかかりすぎて、SIer＊への外注はあまりおすすめできません。

自社（ユーザー企業）の内製で、デジタル化を推進した場合、サプライチェーン領域における業務プロセスのシステム化では、ビジネスの成長にあわせた変更・改善の柔軟性や迅速性がポイントです。理想的アプローチは"内製化"です。業務プロセスを知り尽くした社内で取り組めば、コストや時間を削減しつつノウハウやスキルを蓄積でき、その後の変化にも柔軟かつ迅速に対応できるようになります。一般企業も可能であればエンジニアを自社雇用してシステムを内製すべきだと思います。そういう意味で中小企業の製造業ではSIerにシステムを丸投げする時代は終わったと考えます。

メモ SIer

別名システムインテグレータとも呼ばれる業界で、企業や公官庁のITシステムを構築する、運用サポートする仕事や企業のことを指します。業界の構造は建設業界のようになっており、大手SIerが企業からシステムの導入、保守、運用までを一括して請負い、子会社や下請け企業と一緒にシステムを完成させます。

＊SIer　System Integratorの略。

IT技術者の雇用が中小製造業のDX成長を助ける

大規模なシステムだと、どうしても**SI企業***に外注するというのが、いままでの一般的なやり方でした。大規模なシステムが必要なのであれば、ITエンジニアを自社で雇用して内部に開発部門を作った方が効率的です。これまでは、雇用のリスクが取れないので外注することが普通だったのだと思いますが、いまの時代は1つのシステムを構築しても、継続的に機能追加や機能改善を行っていくことが多くなり、突然起こり得るシステムのトラブルに対応し、速やかに処理するITエンジニアの社員が社内にいるのが当たり前の時代です。

大規模なシステムが必要となるような組織であれば、1つのシステムが完成したとしてもまた他のところでシステムの開発が今後、DX時代には、さらに増えてきます。もちろん100%すべてを自社開発にする必要はありません。ある程度の部分は自社で開発を行い、自社のリソースではあふれてしまう部分だけを限定して必要に応じて外注すればよいのです。少なくとも完成したシステムを自社で保守運用できるくらいの体制はあった方がDXの先の成長・戦略デザインを推進するエンジンになります。

政府にデジタル庁が発足して動き出すと、多くの中小企業の製造業では、開発の仕事を外部に丸投げすると思いますが、大規模なシステムなのであればなおさら、ある程度は自社で内製できる体制を作り、リソースがあふれる部分だけ上手に外注すればよいのです。

メモ SI企業

SIは「システムインテグレータ」の略であり、ITを利用して社内に必要な仕組みを構築する、という意味です。SI企業はクライアントとなる企業と打ち合わせを行い、企業課題を聞き出します。そして、課題解決のためにどんなシステムが必要か検討し、そのシステムの開発を請け負います。システム開発後は運用・保守まで担当します。SI企業はこのように、クライアントの要望をかなえるシステムを開発することが役目です。

デジタルプラットフォーム

中小製造業デジタルプラットフォームについて詳しく説明していきます。

サプライチェーンからサプライウェブへ

中小企業においては、DX化を推進することで、製造・物流業界全体の裾野を広げ、各取引企業とプラットフォームで結び、新しいビジネスの改革と業務効率化をサプライチェーンからサプライウェブへの進化へと発展するでしょう。

現行のサプライチェーンはコロナ禍をきっかけに課題が顕在化し、今後は**サプライウェブ**＊への移行が多様化する製造・物流に対応するカギになるといわれています。

プラットフォーム

プラットフォームとは、『舞台・壇上』を意味する英語platformを語源とする言葉です。IT用語として使う場合は、「サービスやシステムを動かすための土台や基盤」を意味します。ITシステムにおいては、ソフトウェアを動作させる基本ソフトのOS（オペレーションシステム）がプラットフォームです。データベースや設定を含む、システム基盤の総称を指すこともあります。同一のプログラムを動かす際、基本的にはプラットフォームが同じでなければ動きません。

メモ　サプライウェブ

どの業界においても、いままでとは異なる供給のプロセスが出現するからこそ、最適な調達先・納品先を柔軟かつ機動的に選択できることが重要となります。固定的な「チェーン＝鎖」ではなく、あらゆる調達先・納品先と自由につながることができる「ウェブ＝クモの巣」への進化こそが、「サプライマネジメントの未来の姿」なのです。

また、オンラインショッピングを提供するシステムやアプリ・音楽・動画の配信サイトを、プラットフォームと呼ぶこともあります。いずれもサービスを提供・運営するために必要な、共通の土台となる環境です。

また、プラットフォームとは「関連する情報やサービス・商品を展開する土台となる環境」を指します。「プラットホーム」と呼ぶこともあります。多くの関連する情報やサービス・商品を「土台（platform）」に乗せることで、1社だけで実現できる量をはるかに超えたサービスや機能の提供を可能にしています。この仕組みは、オンラインサービスだけのものではありません。例えば、大型ショッピングモールは、出店する場を提供することで顧客を集め、モール全体の会員サービスやイベントを展開するプラットフォームです。

製造業のプラットフォーム

「プラットフォーマー」と呼ばれる巨大なIT企業が世界市場で影響力を増していますが、製造業もその流れと無縁ではありません。

日本の製造業であるモノづくりの歴史について、サプライチェーンの視点から考察します。第2次世界大戦（太平洋戦争）の敗戦後、日本のモノづくりは世界最大の市場を持つ米国のサプライチェーンの一部を担うことで、急速な回復発展を遂げています。昭和初期の日本の製造業を支えていたのは、「職人技」に支えられたモノづくり技術でした。町工場の大半は、小規模であり、モノづくりの全工程を職人が手掛ける手工業的な生産でした。

敗戦後、日本の製造業は、米国の大量生産技術に学ぶことで一気に発展成長することとなります。生産技術は自動車や産業機械分野で活かされ、大量生産における短納期と品質管理を大きく進化させました。特に、繊維産業で培った緻密で高度な縫製技術は、家電やハイテクなどの小型化・高機能化へと引き継がれました。1970年代以降には、高度成長期へと、日本の製造業は発展しました。

1970年以前は、米国では日本製品の位置付けは低く、日本製品が米国市場で競合として認知されたのは1970年代になってからです、米国の製造業は、1990年代のリセッションで大きく衰退し、米国は製造業の代わりにコンピュータや金融など情報産業を基幹産業として中心に動き出しました。

このタイミングでコンピューターを利用した第3次産業革命が始まりました。結果的にコンピューター化による生産性向上の恩恵を受けたのは日本の製造業でした。その頃から日本の産業構造の特徴は、完成品を生産する大企業と、その部品を生産する中小企業がピラミッド型生産組織を生み出したことにあります。

大企業がトップに立つことで、中小企業が苦手とする、安定した需要の確保と、生産に必要な原材料や設備の手配を可能としました。国内市場では、自動車や産業機械などで複数の企業グループが競争を展開することとなりました。

日本で実用化された第3次産業革命のノウハウや生産技術は、安い人件費と豊富な労働力を持つ中国やアジア新興国へ移行して拡大しました。

プラットフォーム戦略のメリット

現在は、第3次産業革命のノウハウや生産技術から製造業に関わらず、デジタル技術の活用によって企業を変革します。製造業のプラットフォーム戦略には、次のようなメリットがあります。

①サービスを提供するビジネスモデルへの変革

従来のモノ売りだけのビジネスモデルでは、継続的な成長が難しくなっている中で、プラットフォームを使うと、顧客にメリットのあるサービスを提供するというビジネスモデルに変革できます。さらに、プラットフォームには、多くの顧客データが集まるようになります。それらを活用して顧客のニーズをつかむことで、顧客にメリットのある新たな製品やサービスを継続的に創出できるようになるでしょう。

②プラットフォーム戦略で成功するには

プラットフォーム戦略によって製造業が得られるメリットは非常に大きいですが、成功することは簡単ではありません。プラットフォームを構築したものの、顧客が集まらずに失敗するというケースは多々あります。

プラットフォーム戦略で成功するためのポイントとしては、次の2点です。

・自社製品に明確な強みがあり、自社だけでも顧客を一定数集められること
・適切なオープン化や外部パートナーとの連携によって、プラットフォームの価値を向上させること

これらの2つのポイントを抑えた企業が、プラットフォーム戦略を成功させ、競争力を高めることができると考えられます。モノづくりは「物」と「者（人）」といわれますが、今後ますます大きくなる「デジタル化」のニーズに応じて、プラットフォームにしていくことが重要です。

◇ OEMとプラットフォームとDX戦略

プラットフォーム戦略は、製造業におけるDXの方向性の1つであり、企業が競争力を高めて成長し続けるために有効な手段といえるでしょう。製品を作る上での生産力に課題を感じていたり、逆に製造業に向けてソリューションを提供したいと考えていたりする場合は、他社で自社ブランドの製品を生産する中小製造業OEMのDX推進とプラットフォーム戦略についてOEM製造と組み合わせたビジネスマッチングを探ります。OEMとは「Original Equipment Manufacturing」の頭文字をとった略称で、他社で自社ブランドの製品を生産していること、またはそのメーカーのことを指しています。日本の中小企業の製造業は他社で自社ブランドの製品を生産している企業が大手メーカーを支えています。

近年は、日本の中小製造業は、自社で培ったスキルやノウハウだけでなく、他社と技術を共有することでより良い製品を生み出すといった新たな業務形態が注目されています。

これは、中小製造業の同業種間にとどまらず、異業種と連携することでも従来と異なるプラットフォームのビジネスチャンスが生まれます。中小企業の製造業の同業種、もしくは異業種とのネットワークを構築するために、プラットフォーム戦略にマッチングサポートをビジネスとする企業も登場しています。

その他には、特定の地域で商工業者や各種団体によって運営されている商工会議所もビジネスマッチングに向けてプラットフォーム戦略として異業種交流会やビジネスフェアなどを積極的に開催しているケースもあります。

なぜ、いまこのようなビジネスが注目されているのでしょうか？　それは、企業間のDXの連携によってプラットフォームが行われ、従来よりも効率よく、良質な製品が生み出されることが理由の1つです。

中小製造業のプラットフォームとマッチング

中小企業の製造業のモノづくり企業とマッチングする場合、目的は主に以下の3つに絞られます。

①OEM

OEMは、自社ブランドの製品を生産したくても生産技術が乏しいことで実現できていない企業が、製造技術に長けた他社に生産を受注することで自社ブランドの製品を流通できるといった仕組みです。一方で製造技術に長けた企業であっても、それを流通するノウハウが乏しければ、いくら良質な製品を製造できても企業としての高い利益は見込めません。このように企業が持つ長けた技術をOEMによって共有することで、双方にとってプラスに働くことが期待できます。

②部品の受発注

製品は、数多くの部品を組み立てて作られますが、製品によっては特殊な部品を必要とすることがあります。特殊な部品を利用すると、希少性が高く費用面や納品スピードといった面でリスクがあります。いまよりも高品質で安価に部品を手に入れるルートは市場全体のニーズです。製造業といっても大小様々な企業があるため、自社が本当に求めている企業にアプローチするのは容易ではありません。製造業の企業を探す際は「モノづくり」に特化したマッチングサイトを利用します。

③製造業の支援、投資とプラットフォーム

技術を求めるだけではなく、製造業に対して支援や提案を行ったり、投資の対象としたりする場合もビジネスマッチングを利用します。「関連する情報やサービス・商品を展開する土台となる環境」のプラットフォームをDXと共に推進する。さらに、マッチングサイトに登録することで、より多くの企業との接触機会が増えます。

プラットフォームは高い技術力を持っているにも関わらず売上が伸びていない中小企業の製造業の企業に対して、効率よくサービスの提案ができるようになります。逆に今後確実に成長する企業を見付ける際にもマッチングサイトが役立つので、投資先を探している方は積極的に登録しましょう。

中小企業は、OEMの製造業を軸にしてDXを検討して、一方、商品開発には長けていても自社の生産工場を持っていない、あるいは自社工場で生産するには人件費などのコストがかかるといった問題を抱えている企業も多いのではないでしょうか。このような場合、プラットフォームのOEMを活用して製造技術に長けた企業とマッチングすることで、商品化をスムーズに進められたり、コストカットが期待できます。

メモ　マッチング

①種類の異なったものを組み合わせること。
②複数のデータをつき合わせて照合すること。

サプライチェーンDX戦略

サプライチェーンDX戦略で、ビジネスに変革と業務効率化をもたらします。

サプライチェーン、現状の問題点

製造業と**ロジスティクス***業界での製品物流業務に、お互いのサプライチェーンの連携で停滞時間を発生させるという問題はありませんか？DXによるビジネス変革と業務効率を妨害しているものに、次の3つがあります。

①紙・メール＋Excelによる運用

製造業とロジスティクス業界でフォーマットの不一致やデータ管理ができていないため、情報探索や転記、類似作業に時間と労力を奪われます。

②標準化されていない業務

製品物流に関連した業務プロセスが標準化されていないため、作業依頼や確認、承認でムダなやり取りや手戻りが発生します。

③作業の属人化

製造や物流の作業内容が担当者しかわからず負担が集中して進捗が遅れ、不在の場合は業務が止まってしまいます。このような原因から停滞時間を発生させて業務の効率を悪くしている中小企業の製造業が多いのが現状です。

システム構築・運用コストがかかりすぎる

さらに製造業とロジスティクス業界での停滞時間を発生させる原因以外にお互い共通したシステム構築・運用の費用が高くなるため業務改善が進まない原因があります。

①企業ごとに業務の独自性が高い

同じような業務でも製品の調達や製造、在庫、流通方法など生産形態の違いから企業ごとの独自性が高く、業務に合ったシステムの構築には多くの時間や費用が必要となります。

②市場の変化に合わせた変更や改善が多い

市場の変化から生産拠点が再配置され、リスク対応（災害・関連企業の倒産など）のための業務プロセスの変更・改善が多くあります。そのためシステムも変更することが求められ、運用による負担が大きくなります。

③業務プロセスが複雑

営業、製造、**サプライヤー**＊、調達、委託先、倉庫、物流など様々な役割を持つ多くのユーザーが関わり合うため業務が複雑になりシステム化が難しくなります。サプライヤーとは、仕入先、供給元、納品業者などの意味を持つ英単語です。業務や事業、商品に必要な機材や資材、部品、原材料、サービスなどの売り手のことです。

サプライチェーンのシステム化が業務改善のカギ

例えば、お互いの顧客間には見積管理、委託管理、輸出入の貿易業務などメーカー／サプライヤー／物流／卸売／顧客とのやり取りは、システム化されず下図のようなメールとExcelを利用した非効率な運用がされています。お互いの顧客間で行われるメール＋Excelでの業務運用から脱却して戦略を練り、DXでビジネスに変革と業務効率を高めます。

各部門のメールとExcelを利用（図5-2）

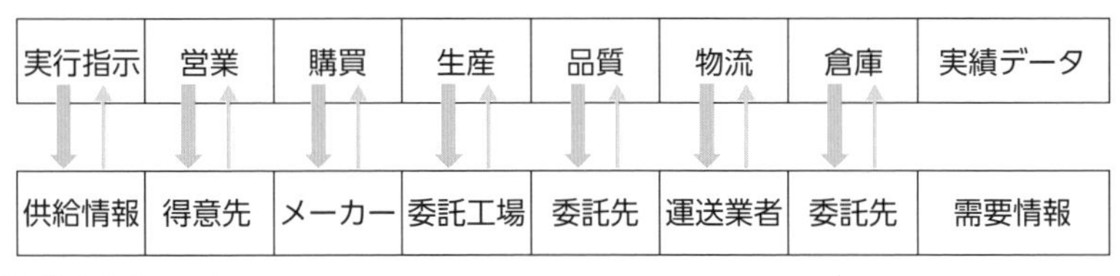

図表の中にある記号：情報のメール ↓ 印　　Excelデータ ↑ 印

そのため、**リスクマネジメント***できず、無駄な**リードタイム**が発生しているケースが多くあります。リードタイムとは、英語（lead time）を直訳した意味と、日本で一般的に使われている意味は同じで、「完成までに必要な期間」を表します。特にビジネスでは、何かの製品を「発注してから納品までに必要とする時間・期間」を指しています。業界や、立場によって、その細かい意味は変わりますが、ポイントとして、リードタイムが「時間・期間」を指しており、日程や日付を指すものではないということを留意しましょう。「リードタイム」という言葉は、流通や製造などの場面で多用されており、4つの工程に分類され、4種類のリードタイムが存在します。製品が開発され、商品として消費者の手元に届くまでに、それぞれの段階のリードタイム（所要時間）が合算されているということがわかります。

システム化が進んでいない理由は、業務実行プロセスのシステム化を外注した場合、期待する費用対効果よりも多くの構築・運用費がかかるからです。顧客や製品、在庫形態や流通ルートなど様々な要素を組み合わせながら考慮し設計されるSCMモデル。それに応じた業務実行プロセスは企業ごとに異なります。

ソフトウェア・パッケージ*を適用した場合、細かいニーズに対応するためのカスタム費用がかかります。さらにビジネスの成長に合わせ業務プロセスも継続的な改善が求められるため、システムも変更対象となり、運用費がその都度発生します。

「メール＋Excel」での業務運用から脱却して戦略を練り成長のためのDXの戦略デザインによるビジネスに変革と業務効率を高めるようなサプライチェーンの業務改善に内製化が必要です。

メモ リスクマネジメント

リスクを組織的に管理し、損失などの回避または低減をはかるプロセスをいいます。リスクマネジメントは、主にリスクアセスメントとリスク対応とからなります。さらに、リスクアセスメントは、リスク特定、リスク分析、リスク評価から成ります。

業務効率化のためのサプライウェブ構想

「サプライウェブ」とは、どの業界においても、いままでとは異なる供給のプロセスが出現するからこそ、最適な調達先・納品先を柔軟かつ機動的に選択できることが重要になります。固定的な「チェーン＝鎖」ではなく、あらゆる調達先・納品先と自由につながることができる「ウェブ＝クモの巣」への進化こそが、「サプライマネジメントの未来の姿」です。

「サプライウェブ」の基本構想は、「あらゆるプロセスがつながること」と「本来必要のないプロセスがなくなること」にあります。

「あらゆるプロセスがつながること」とは、川上から川下への従来的なつながりのみを指しているわけではありません。XaaS*が拡大すれば、「買う➡捨てる」に加えて、「利用する➡返す」がより一般化します。川下と川上をつなぐ**リバース・ロジスティクス**の重要性は顕著に高まるでしょう。リバース・ロジスティクスとは、消費者や利用者から、生産者へとさかのぼる物流を管理するロジスティクスのこと。生産者から消費者に向かう物流の管理を意味する「ロジスティクス」に対し、その反対となる消費者や利用者から、生産者へと向かう物流を管理するロジスティクスが「リバースロジスティクス」です。具体的には商品の返品、容器や再生資源の回収、スクラップの回収や廃棄などを指します。

企業間の垣根を超えた水平的なつながりも拡大します。より多くの調達先・納品先と自由につながるということは、入出荷のロットが小さくなること、結果として物流が非効率化することを意味するからです。トラックや倉庫といった物流アセットを他社と共用することで、規模の経済性を確保しようとする動きが広がるはずです。

メモ　ソフトウェア・パッケージ

市販ソフトウェアの略です。ERPソフトウェアなど、特定の業務や業種で汎用的に利用できる既製品（パッケージングされたもの）のことを指します。顧客管理や文書・表の作成、建設業の進捗管理や自動車製造業における設計、金融業の与信管理といったように、多数の企業において汎用的に利用できる見込みのあるソフトを目指して開発されています。

サプライチェーンからサプライウェブに進化(図表5-3)

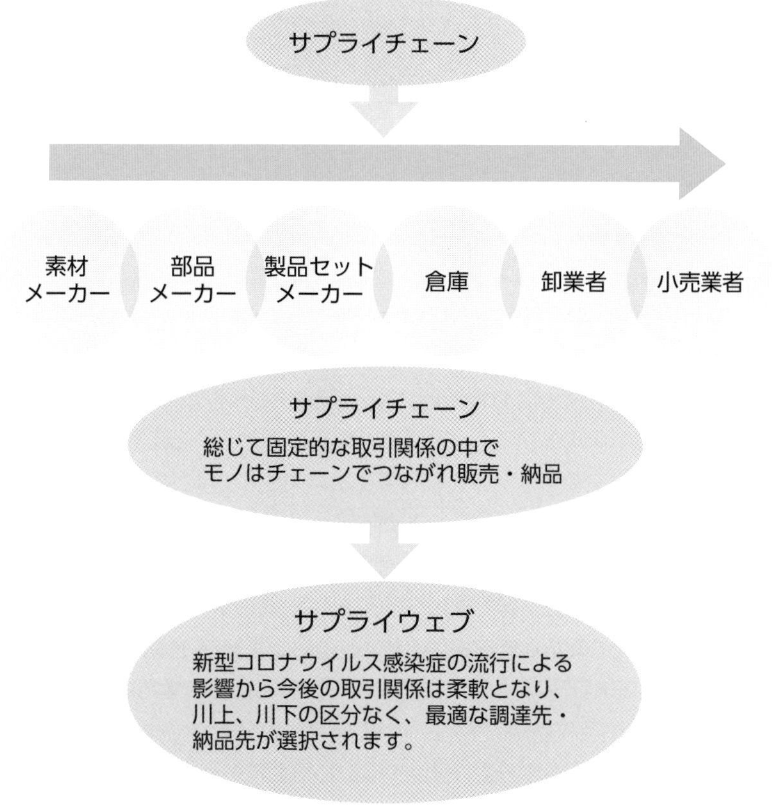

メモ XaaS

情報システムの構築や運用に必要な様々な資源（ソフトウェアやハードウェアなど）をインターネットなど通じて提供・利用するようにしたサービスの総称です。

◇DXで業務効率を高めるには

DXで業務効率を高めるには、SCMの業務改善に加え、計画データ、実績データ、実行データの3つの内製化が必要です。

SCM領域のデジタル化による業務実行のための需要・供給情報のやり取りは、システム化が進んでいません。

クラウドや**デバイス**、様々なソフトウェアが普及し、部門・企業・サプライヤー・顧客間のつながりは広がっています。クラウドは、雲、大群、集団などの意味を持つ英単語です。全体像の不明確なもやもやした塊・集まりを比喩的に表すことが多いです。IT分野では、まとまった計算資源を通信ネットワークを介して遠隔から利用するシステム形態のことをクラウドといいます。従来は手元のコンピューターに導入して利用していたようなソフトウェアやデータ、あるいはそれらを提供するための機器や回線といった技術的な基盤を、インターネットなどのネットワークを通じて必要に応じて利用者に提供する方式を意味します。IT業界ではシステム構成図などを描く際に通信回線の向う側にある外部のネットワークやコンピューター、情報システムなどをまとめて雲の形の絵記号で記す慣例があることから、このように呼ぶようになりました。デバイスは、機器、装置、道具という意味の英単語です。ITの分野では、比較的単純な特定の機能・用途を持った部品や装置という意味で用いられることが多いです。現場業務をより効率化させ、生産性も向上させることができるようになりました。

しかし、多くの企業では、SCMの経営資源最適化のための計画系・実行系システム（**SCP***、**ERP**）の導入は進んでいるものの、お互いの顧客間には業務実行のための需要・供給情報のやり取りについてのシステム化は進んでいません。SCPは、Supply Chain Management（サプライチェーン・マネジメント）と呼ばれ、引っ張り方式、カンバン方式で生産計画を立てます。個別のソフトとしては、SCPなどがあります。ERPは、Enterprise Resource Planningの略で、企業資源計画のことです。企業全体を経営資源の有効活用の観点から統合的に管理し、経営の効率」化、業務の効率化を図るための手法のことを指します。

* **SCP**　Supply Chain Planningの略。

生産や販売、在庫、購買、物流、会計、人事／給与などの企業内のあらゆる、経営資源（人、物、金、情報）を有効活用しようという経営者的な観点から、企業全体で統合的に管理し、最適に配置・配分することで効率的な経営活動を行うという考え方です。

サプライチェーンからサプライウェブへの進化(図表5-4)

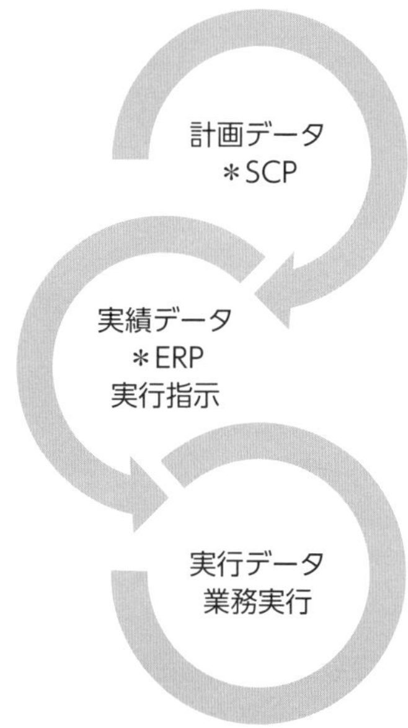

04 成長のための戦略デザイン

スマート工場化の変革

人材不足と戦略的な解決策として、スマート工場化の変革について説明します。

データの見える化

日本の工場経営における大きな課題が、「人材不足と高齢化」です。日本における生産年齢人口は年々減少傾向にあり、また高齢化が進む中、製造分野や物流業界でのベテランによる技術ノウハウの継承が困難となりつつあります。これまで、トラブル発生にはベテランのノウハウにより大事に至ることなく早期解決していた問題も、今後は対応が困難となり、稼働率の低下に転じる恐れもあります。そこで、工場経営をも含めたDXで、ビジネスに変革と業務効率を高めていくために、「データの見える化」が必要となります。

業務の「見える化」とは、いままで「先輩から教えられた」といったような方法で伝えられ明確に文書化されてはいない業務を、だれが見てもわかるように文字や表などに表すことをいいます。

業務の「見える化」を図る場合、「業務のやり方を明確にする場合」と、「業務の現在の状況を明確にする場合」の２通りの方法があります。

①IoT技術を導入して、現行の工場を「スマート工場化」する
②製造の効率を上げるデータを具体的に見えるようにする

ひと言で“見える化”といってもどこをどのように明らかにするのかを把握しておかないと、うまくいきません。

工場内には、様々なデータがあります。製品の品質や状態、工場設備の稼働状況、生産ラインの情報など、これらの情報を連携して把握することで、より高い生産性改善の解決策を生み出すような戦略を打ち出すために、データを見えるようにすることにより、トラブルの事前予知や発生時の原因究明、解決策などにも期待でき、稼働率の向上に大きく貢献できます。また、監視カメラ・各種センサーなどデータを収集する設備、LAN配線や無線LANの**アクセスポイント**＊などの通信ネットワーク設備、取得したデータを分析するためのパソコンやソフトなどの分析設備が必要となります。

◇通信ネットワーク環境の整備

通信ネットワーク環境を整備するにあたっては、有線LAN配線か、無線LAN配線が一般的ですが、工場などの大規模施設では、次の注意が必要です。**有線LAN**の場合ですが、長距離配線による工事費用の増大や100m毎のHUBの設置となります。有線LANは、パソコン・テレビといった機器と、ルータや**ONU（光回線終端装置）**を直接ケーブルで繋いで接続するネットワークのことです。レイアウト変更による再工事費用が発生します。また、施設内でLAN配線が不可能な場所がないかなどを確認する必要があります。**無線LAN**の場合ですが、コンクリートの壁に遮られて電波が届かない場所がないか、無線ルータが遠くて電波が届かないのではないかなどをチェックする必要があります。無線LANは、無線通信を利用して構築されるLANである。ワイヤレスLAN、もしくはそれを略してWLANとも呼ばれます。無線LANルータ（Wi-Fiルータ）は、パソコンやスマホをインターネットに接続するための機器です。ルータには次のような機能があります。ルータを利用すると、1つのインターネット回線を複数のコンピューターで共用できます。これは、ルータがインターネットで扱うデータを自動的に振り分けているからです。

メモ アクセスポイント

「WiFiの電波を送受信している機器」であり、端末とルータの橋渡し役です。WiFi通信の電波をキャッチして、有線LANに繋ぎます。アクセスポイントには、識別をするための固有の文字列である「SSID」が割り当てられています。接続したいSSIDを選択して暗号化キーを入力すると、WiFiに繋ぐことができます。

広大な工場施設の中に通信ネットワーク環境を整備するには、従来のLAN配線設備では様々な問題があります。デジタルデータを活用して、品質や生産性の向上を継続発展的に実現することをスマート工場化と呼びます。具体的には、モノとインターネットを繋ぐ「IoT」や人工知能である「AI」、人の手や腕に変わって作業を行う「産業用ロボット」など、このような最先端の技術を取り入れた工場のことを指します。こういった最先端技術を活用することで、品質や生産性の工場が実現し、最適な生産活動が行えるようになります。戦略を練りDXでビジネスに変革と業務効率をもたらす、スマート工場化には、多額な資金が必要となります。スマート工場化とは、デジタルデータを活用し品質や生産性の向上を継続発展的に実現する工場にすることです。

▲端末とルーターの橋渡し役、アクセスポイント

メモ ONU（光回線終端講装置）

Optical Network Unitの略。光通信ネットワークの終端に設置されるもので、光信号や電気信号間の変換と光信号の多重、分離をするデータ回線終端装置のことです。モデムと呼ばれることもありますが、ONUとは異なるものです。

通信ネットワーク技術がもたらす新しい社会システム

情報通信は、情報源のメッセージを信号にして送信し、受信側で解読してもとのメッセージに戻す仕組みです。複数のコンピュータ同士を通信回線で結び情報通信ネットワークを構築し、大学や職場内の限られたエリア内のネットワークをLAN［Local Aria Network］)、遠隔地にある広域のネットワークをWAN（ワン）＊と呼びます。世界規模の情報通信ネットワークがインターネットです。世界発のウェブブラウザと呼ばれるWorldWide Web（注1）はHTMLエディタで記述され1990年欧州原子核研究機構（CERN「セルン」と読む）の技術者により開発されました。インターネットに接続しているクライアントとサーバー間でハイパーテキストを送受信する仕組みを使い、世界中にあるWebサーバー上のホームページをリンクして多くの情報を得られるネットワークサービスです。ハイパーテキストを記述する言語がHTML＊です。

情報を送受信する際は、パケットと呼ばれるかたまりに分割し、宛先と順序をあらわす番号を付与して送り、受け取った側であらためて元の情報に戻します。この方式をパケット交換方式と呼んでいます。

ネットワークの基本構造の正規の規格がISO（国際標準化機構）により規定されOSIの設計方針に基づき通信機能を分割・階層化したものがOSI＊参照モデル（開放型システム間相互接続）です．OSIモデルとも呼ばれ、第1層物理層から、第7層のアプリケーション層まで各規定がされています。（図表5-5）これらの技術により規格が標準化され、様々な情報端末間での情報交換を可能にし、インターネットが世界的に普及しました。

＊**WAN**　Wide Area Networkの略。
＊**HTML**　Hypertext Markup Languageの略。
＊**OSI**　Open Systems Interconnectionの略。

OSI参照モデル(図表5-5)

	OSI参照モデル	TCP/IPモデル	主なプロトコル
第7層	アプリケーション層 ファイルやメールの転送(データの送受信)	アプリケーション層	HTTP FTP SMTP DNS Telnet AFP ほか
第6層	プレゼンテーション層 文字コード・圧縮方式(データの表現形式規定)		
第5層	セッション層 通信プログラム間の通信確率(ログイン、ログアウト処理手順規定)		
第4層	トランスポート層 再送など通信の信頼性を確保する規定	トランスポート層	TCP UDP SCTP ほか
第3層	ネットワーク層 ネットワーク経路選択や中継(通信方法を規定)	インターネット層	IP ARP RARP ほか
第2層	データリンク層 複数の直接接続されたノード間の通信規定	データリンク層	Ethernet Token-Ring ほか
第1層	物理層 データ(ビット)を電気信号に変換する規定	物理層	RS232、電話線 UTP、無線 光ケーブル ほか

コンピューター、入力された何らかの情報を処理し、処理結果を出力します。コンピューターは反復処理と記憶に優れ、その基本的な仕組みは、生活に欠かせない様々な家電製品、自動車、センサーなどの製品に組み込まれています。

社会基盤としての情報システムの構築により、日々、個人や企業が発する情報はインターネット経由によりクラウド上に共有され、クラウドコンピューティングによって大規模・高性能なコンピューター資源を利用することができます。IoTはインターネットとものをつなぎ、多くの情報機器とつなぎサービスを提供することを可能にする技術です。(図表5-6)

コンビニエンスストアをはじめ多くの企業がPOSシステム（注2）を導入し、瞬時にサーバを通じて企業内で購買状況を共有するシステムが実用化されて久しいです。その他、高度車両運行管理システム（カーナビゲーションを使用した交通管理システム）は渋滞の緩和やCO_2の削減などにも役立てられています。顧客の消費動向に柔軟に対応するシステムとしては、SCMサプライチェーン・マネジメントにより、原材料の調達から、製造、物流、販売といった一連のプロセスを社内で把握し最適な製造規模を確保してコストを削減できるシステムとして期待されています。

情報通信ネットワークの普及は、社会の産業、経済、人々の働き方を大きく変えてきました。情報通信ネットワーク技術によって私たちは物理的な距離や時間の制約から解放され、2010年には、いつでも、どこでも、誰でもネットワークに接続して情報を享受する社会「ユビキタスネットワーク社会」を実現し、現在はサステナブル社会「持続可能な社会」を目指し、最先端のAI技術やロボットを駆使した企業の取り組みも始まっています。2020年よりTOYOTAが着工したスマートシティSmart City未来都市「ウーブン・シティ（Woven City）」（※3）の例もその1つです。

またアメリカでは、2012年よりGE（ゼネラル・エレクトリック）社が中心となりインダストリアル　インターネット（※4）と呼ばれる枠組を作り、産業におけるインターネット利用を推進し、生産性向上を目指す取り組みも始まっています。

最新の技術やサービスが世界中で進化していく光の側面に対し、負の側面としてセキュリティ問題や個人情報やプライバシーに関する法の整備も技術の進化と合わせてさらに取り組んでいく必要があるでしょう。

＊**SCM**　Supply Chain Managementの略。

インダストリアルインターネットにおけるデータのループ(図表5-6)

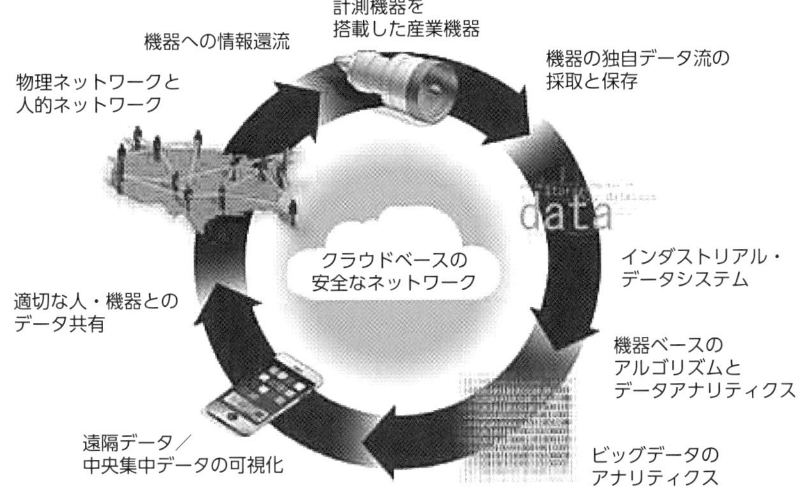

出所　インダストリアル・インターネット [GE (ゼネラル・エレクトリック)]
https://www.ge.com/jp/industrial-internet

※1　ワールド ワイド ウェブ (略名：WWW) HTMLエディタで記述されインターネット上で提供されるハイパーテキストシステム。インターネットは本来、コンピュータ・ネットワーク自体を指す言葉として使われ、日常用語ではWWW意味し、単にWeb (ウェブ) と呼ばれることも多い。CERNの技術コンサルタントのティム・バーナーズ・リー氏他が開発。

※2　Point Of Sales販売時点管理システム (どのような客が、いつ、どの商品を、どれだけ購入したか)

※3　TOYOTAが2021年に静岡県裾野市の着工に取り組む未来都市。ウーブン・シティ (Woven City)「編まれた町の意味」に取り組んでいます。
https://global.toyota/jp/album/images/32057066/

※4　Industrial Internetでは、エネルギー、ヘルスケア、製造業、公共、運輸の5領域を主な対象としており、製造業では製品販売後のデータ収集やデータ活用に重点をおいています。

内製化戦略デザイン

製造業におけるDX内製化戦略デザインについて説明していきます。

◇資材管理ソフトウェアMRP

生産管理システムとは、生産現場における納期、数量、場所、工数などの計画・管理活動を効率化するシステムです。具体的には、在庫低減や納期短縮化、生産の余剰や不足を防ぐことができます。選定の際には機能一覧をチェックし、組立加工製造、プロセス製造、また個別受注生産や繰り返し生産、混在型など、自社の生産方式に合ったシステムを見つけましょう。最近では、クラウド型のサービスも増えており、より生産管理を手軽に利用することができるようになっています。そして、資材を過不足なく準備し生産性を向上させるための資材管理のソフトウェア**MRP**＊とは、1970年代に生まれた考え方です。Materialは素材、Requirementsは要求や必要条件、Planningは計画を意味する単語です。MRPは「資材所要量計画」という言葉で表されています。

指定の納期までに製品を納品するためには、輸送期間を差し引いた期日までに製品が完成し、納入できる状態に梱包されていなければなりません。そのためには、さらに製造期間を差し引いた期日までに部品や材料、資材が準備されていなければなりません。こういった部品や材料、資材などが「いつまでに」「どれくらい」必要なのかを考え、資材調達の計画を立てることで生産計画の一部とする資材管理のソフトウェアがMRPです。人のノウハウだけに頼っていた資材調達では、多様化するニーズに追いつけません。業務を自動化し、下流工程が滞りなく進む生産管理の仕組みが求められています。こういった課題に対し、MRPは資材調達や生産計画について大きな効果が期待できます。

しかし、その一方で各部門間での連携が必須でもあり、導入にあたっては部門間での入念な調整と、リアルタイムでの情報が必要です。

＊**MRP**　Material Requirements Planningの略

今後、成長のためのDX戦略にはMRP後継モデルのMRPは、ヒト、モノ、カネを総合的な視点から管理することにより、生産最適化を目指します。従来のモノだけに注目した管理手法ではなく、生産管理を通して経営資源の最適化へとつなげていく仕組みへと進化しているのです。

社内で新システム導入に対する不安や反発なども予想されますが、どの部門にとってもメリットがあることをしっかりと浸透させるために新しいシステムの説明を行い、各部門での共有した上で導入することが大切です。

MRPの注意点

生産管理において必須ともいえるほどの大きな効果があるMRPですが、下記のような点を注意しておかなければならないこともあります。

①部品表（BOM*）の整備

資材の所要量を計算するためには、製品を構成する部品や材料、資材について正確な量やリードタイムが記載された部品表が必要です。製品の種類が多ければ、部品表の整備には多大な時間と労力が必要となるでしょう。こういった情報の整理に対し、いかに高い価値を見いだせるかも1つのポイントです。

②各部門間での情報共有のタイムラグ*

資材所要量計画（MRP）による生産計画は生産状況によって日々更新されていかなければなりません。このとき、各部門で持つ情報にタイムラグがあれば、資材のショートや過剰発注の発生につながっていきます。これではMRPを導入している意味がありません。生産に関わるすべての部門でタイムラグのない情報共有ができていることが、資材所要量計画（MRP）導入の必須条件です。

---

*BOM　Bills of materialsの略。製造業で用いられる部品表の一形態です。製品を組み立てる時の部品の一覧と、場合によっては階層構造を表します。

*ラグ（lag・タイムラグ）　人間がコンピューターに命令を入力してから命令が実行・反映されるまでの遅延時間（delay time）のことです。またはコンピューターネットワークの中でパケットが送受信される間に生じる遅延時間です。

◇ダイナミック・ケイパビリティのDX戦略デザイン

「ものづくり白書」によると、ダイナミック・ケイパビリティとは、日本語で「企業変革力」のことを指し、環境変化に対応するために組織内外の経営資源を再結合・再構成する経営者や組織の能力のことを意味しています。その要素は、「感知」「捕捉」「変容」の3つの能力で構成されており、他企業から模倣されず長期的に競争力を担保できる能力として注目を浴びています。モノづくり基幹技術の積み重ねからDXの先の成長へ代表企業として、S社は創業以来、様々なモノづくりの基幹技術の開発を積み重ねてきました。ものづくり技術の根幹は、素材、機構、形状、加工、接合、評価、解析などの要素技術と、それを最適に実現するプロセス技術にあり、これらは時代が移り変わっても「ひとが手にする商品」を形にするために必要不可欠であることに変わりません。

技術の進化は、現場を中心としたアイデア、計画、実践、課題改善のスパイラルを回し続けることによって生まれる新たな可能性を追求することで実現されるものです。商品と一体となって、品質と効率を支えるモノづくり、基幹技術の積み重ねを、これからも強化し続けます。

S社では、DXに、次の図のような「オペレーション」「顧客接点」「ビジネス」の3つの領域で取り組んでいます（図表5-7）。

S社では、「オペレーション」「顧客接点」「ビジネス」の3つの領域のDX化の次は、RPAの標準化や、AIによる高度化に取り組んでいるとのことでした。

S社によるDX3つの取り組み(図表5-7)

1．オペレーション：
既存のビジネスを効率化・高度化する。
ERP  Dynamic365
標準化されているのでクラウドやデジタルと相性がよい。
・RPAで効率化を図る。
⬇
・RPAの標準化
・AIによる高度化

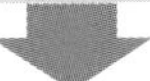

2．顧客接点強化：
電話よりチャットの方が、顧客満足度が高い。
・チャットボット*
・ログ分析*
・デジタル化による高度化

3．ビジネス：
DXによる新しいビジネスモデルの創出

＊**チャット(Chat)**　インターネットを含むコンピューターネットワーク上のデータ通信回線を利用したリアルタイムコミュニケーションのことです。Chatは英語での雑談のことであり、ネットワーク上のチャットも雑談同様に会話を楽しむための手段です。

＊**チャットボット**　チャットやインスタント-メッセンジャーなどのサービスにおいて、自動応答を行うプログラムの総称です。

＊**ログ分析**　コンピューターを利用するときの操作状況やプログラムの実行、データの送受信などを記録したログファイルを分析することです。

06 成長のための戦略デザイン

製造業DXと働き方改革

RPAを活用して効率化を図ることについて詳しく説明していきます。

◇RPAを活用して効率化を図る

現在、製造業の企業の多くは基幹業務システムを利用したままです。経済産業省が2018年9月に公表した「DXレポート」では、2025年までに老朽化した基幹システムを刷新しなければ、年間で最大12兆円の損失が出ると予測しています。

今後、デジタル技術を活用して変革を起こすことで、業務効率・競争力の低下を避けるためにも、DXは、デジタル技術の活用により工場の活性化を図る目的で、生産性を上げて働きやすい環境を整えることができます。働き方改革には次のようなIT活用による業務効率化や、テレワークの推進、RPAのなどの活用から労働時間が削減されて、生産性が上がります。

◇労働時間が削減するのにRPAを活用すること

RPAとは、ロボティック・プロセス・オートメーションの略で、単純なパソコン業務を自動化するロボットソフトウェアです。コンピューターを用いた業務の手順を記録すると、ロボットが正確高速・不眠不休で作業してくれます。

パソコン業務のスタッフを単純作業から解放し、生産性を劇的に上げる技術として、多くの企業が導入を進めています。RPAを導入すると、長時間労働の抑制や業務効率化、生産性向上を期待できます。働き方改革を推進し、労働生産性を高める最新テクノロジーの1つとしてRPAを活用に注目されています（図表5-8）。

RPA(図表5-8)

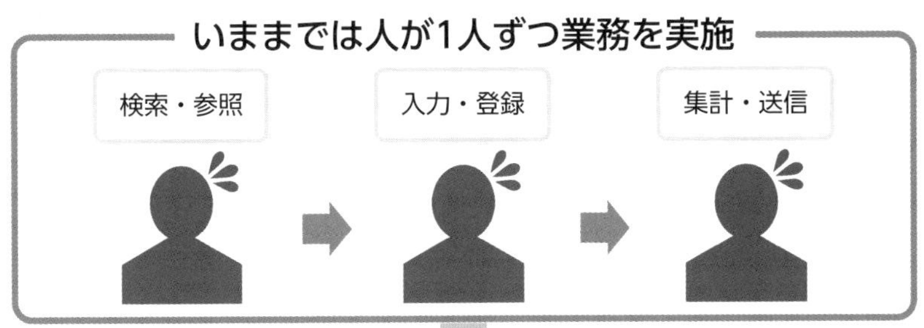

テレワークの推進とICTの活用

新型コロナウイルス感染拡大防止策の1つとして、急速にテレワークが普及してきました。ICT(情報通信技術)を活用し、時間と場所にとらわれない柔軟な働き方を可能とするテレワークの導入を働き方改革の一環として強く推進しています。企業にとっても、経営環境の変化に対応した、人材の維持・確保、生産性向上、コスト削減など、多くの効果が期待されています。これらの通信(コミュニケーション)は、4G/5Gに代表される移動通信網、光回線に代表されるインターネット網に接続されたデバイス同士が、デジタルデータをやり取りすることで成立するのが特徴です。テレワークは、成長のための戦略デザインとして、人口が減少している現代社会において働き方の多様性につながっていく就業スタイルといえます。

業務効率化

業務効率化とは、無駄を排除して、より効率的に業務を遂行できるようにするための取り組みです。ITツールを活用し、時間的・経済的なコストを削減することで、生産性向上だけでなく企業全体の業績を向上させる狙いがあります。昨今、テクノロジーが進歩するスピードは極めて速く、テクノロジー活用の巧拙により生産性に大きな差が生じています。生産性に深く関連した働き方改革の実現、人材不足の解消、業務効率化の実現を図る戦略が、今後の成長するDX戦略デザインによって、製造業の業務効率・競争力の低下を避けられます。

働き方改革の実現(図表5-9)

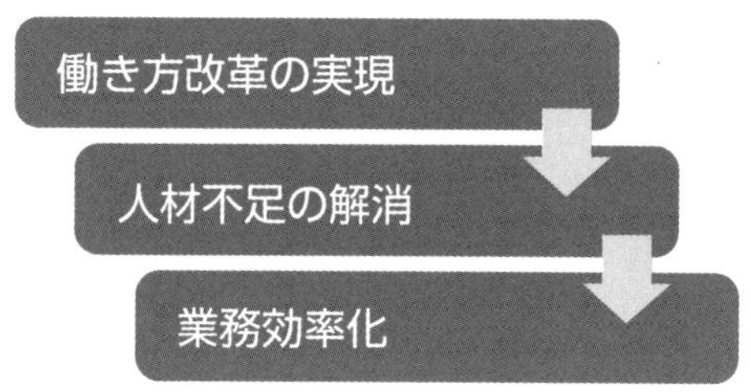

①働き方改革の実現

1つは働き方改革の実現ができるという点です。AIやRPAなど、現状の業務を自動化できるツールを活用することで、テレワークを導入しやすくなったり、定時退社ができるようになります。

②人材不足の解消

働き方改革が実現されることにより、従業員にとって働きやすい環境が構築され、採用にもよい影響を与えるでしょう。もしいま人材不足に悩んでいる企業があれば、人材不足の解消にもつながるかもしれません。

③業務効率化

AIやRPAなど、自動化ツールを活用することで、ヒューマンエラーを防ぐことにつながり、かつ従業員はコア業務に集中することができるようになります。これは、劇的な業務効率化にもつながります。

コラム AIは、働き方をどのように変えるか？

AI（人工知能）の進歩は、人間の働き方をどのように変えるのでしょうか？　新しいテクノロジーが従来の人間の働き方を変えていくといわれています。では、AIが人間の仕事に代わり「AI失業」は起こりうるのでしょうか？　どのような業種でその可能性があるといわれているでしょうか？

AIが得意とする仕事は、主に単純作業（OA＊）の繰り返しであり、パターン化された1つの作業のスピード化を図る仕事です。それに対し、AIが苦手とする仕事は、単純な計算処理では算出が困難な問いや答えのない問いやクリエイティブな仕事であるといわれています。

2014年秋にオックスフォード大学のDr. マイケル・A・オズボーン、研究員カール・ベネディクト・フライ共著論文『未来の雇用』（副題：いかに仕事はコンピュータ化されていくか）でテクノロジー技術の進化がいかに人々の生活を変え、社会にもたらす変化についての警鐘を鳴らしました。その中で、この10年の技術の進歩はすさまじく、今後10年～20年で、アメリカにおいて人間が担っていた仕事の約47%がコンピューターの自動化に代わると予測しました。その結果、702の職種から自動化される確率の高い職種として次のような職種が挙げられました。

日本においても2021年最新版「10年でなくなる職業ランキングTOP50」（RANK1＊）がインターネットサイトで公開されています。1位 電車運転士、2位 経理事務員、3位 包装作業員、4位 路線バス運転士、その他、43位 社会保険労務士（80%試算業務、それ以外の対人関係が必要な部分はAI化代替可能かによると指摘）49位 テレフォンアポインター、50位の大工などが挙げられています。実現に向けてはさらなる技術革新や導入コストなどの難題も多く存在しているのも事実です。

＊**OA**　Office Automationの略。
＊**RANK1**　https://rank1-media.com/I0004390

未来に残る職業・消える職業（図表5-10）

消える職業	未来に残る職業
銀行の融資担当者、スポーツの審判、不動産ブローカー、レストランの案内係、保険の審査担当者、動物のブリーダー、電話オペレーター、給与・福利厚生担当者、レジ係、娯楽施設の案内係、チケットもぎり係、カジノのディーラー、ネイリスト、クレジットカード申込者の承認・調査を行う作業員、集金人、パラリーガル、弁護士助手、ホテルの受付係、電話販売員、仕立屋（手縫い）、時計修理工、	レクリエーションセラピスト、最前線のメカニック、修理工、緊急事態の管理監督者、メンタルヘルスと薬物利用者サポート、聴覚医療従事者、作業療法士、義肢装具士、ヘルスケアソーシャルワーカー、口腔外科、消防監督者、
税務申告書代行者、図書館員の補助員、データ入力作業員、彫刻師、苦情の処理・調査担当者、簿記、会計、監査の事務員、検査、分類、見本採集、測定を行う作業員、映写技師、カメラ、撮影機材の修理工、金融機関のクレジットアナリスト、メガネ、コンタクトレンズの技術者、殺虫剤の混合、散布の技術者、義歯制作技術者、測量技術者、地図作成技、術者、造園・用地管理の作業員、建設機器のオペレーター、訪問販売員、路上新聞売り、露店商人	栄養士、施設管理者、振付師、セールスエンジニア（技術営業）、内科医と外科医、指導（教育）コーディネーター、心理学者、警察と探偵、歯科医師、小学校教員

英国オックスフォード大学　マイケル・A・オズボーン　論文『未来の雇用』2014より抜粋

膨大なビッグデータや個人が発する多彩な情報の活用がビジネスにおいて利活用される動きが2010年から生まれ、新たなビジネスチャンスを生み出しています。

医療診断の分野におけるAI診断も進んでいますが、最終的には人間の経験や知見でなければ解決できない仕事も多く存在します。10年後、20年後を見据え、自社の現状や実態に合わせたDX導入によって可能となるコスト削減や様々なロスの見直しによって生まれるメリット、人的資源の新たな活用なども見据え、導入コストと長期的なＤＸ化によってもたらされる効率化・利益、企業の持つ潜在力を見直す機会が、まさに到来しているといえるでしょう。

DXを成功させるプロジェクト体制の強化

DXの計画を立案するためには、3〜5年後を想定して計画を立案しなければなりません。DXの実現には早くても1〜3年ほどの時間がかかり、実際の成果を得られるのは3〜5年後であるといわれています。そのため、3〜5年後に役立つDXでなければ意味がないのです。3〜5年後に重視されているビジネスポイントは何なのか、自社の事業はどのように動いているのか、もしくは動かす予定なのかという点をイメージしながら、業務プロセスを加味し実現していくことが重要です。

DXを成功させるために、マネジメントの面では、どのようなことに気を付ければよいでしょうか。ポイントとしては主に下記の点が挙げられます。

●既存のシステムからの脱却

DXにおいて、最大の壁となるといわれているのが「既存システム」です。既存システムの何が弱点になるのかといえば、既存システムが抱えている膨大なデータを、新規システムに移管させることができない、いわゆる変更も移動もしにくくなっている状況にある点です。既存システムの老朽化により、なかなかDXが進んでいない企業は少なくありません。どのように脱却するかを検討することも、DXを行う企業にとって、非常に重要なことです。

●経営者・トップ層の参画

DXには、中途半端な投資を行わず、思い切った、かつ適正な投資を行うことも必要です。そのためには経営者、トップ層全員が同じ方向を向いてDXを促進していくことが重要であるといえるでしょう。うまく意見をまとめつつ、会社の方針を定めていくために、その時々で過不足のない適正な投資額を決定するような体制が欠かせません。

●適正なシステムの導入

DXを行うには、何らかのデジタルシステムを導入することになります。つまりこの導入システムが社内ルールに合わない、従業員がうまく利用できないということが起これば、優秀なシステムを導入したとしても、その効果を発揮できずに失敗に終わってしまうというわけです。社内システムや、従業員にとって活用しやすいものなど、システムのもつ利点を大いに発揮できるような体制を整えつつ、適正なシステムを導入することです。

DX成功させるプロジェクト構想(図表5-11)

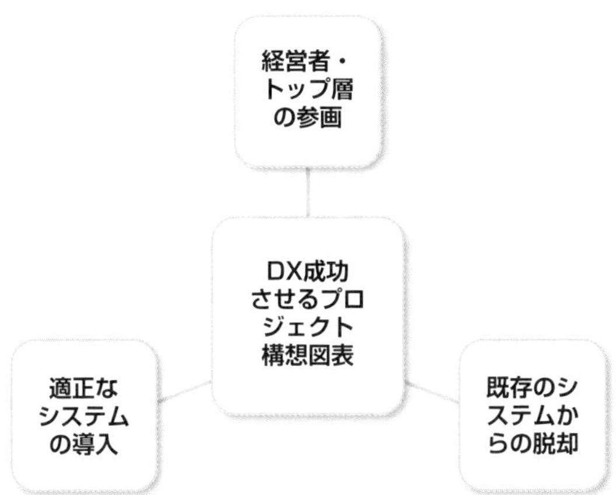

DX成功への戦略デザイン

DXを成功に導く戦略デザインについて説明していきます。

DXを成功に導く3つの領域

大手家電メーカーのS社は、将来のDXの成功へ戦略デザインに向けて「オペレーション」「顧客接点」「ビジネス」の3つの領域で取り組んでいます。「オペレーション」では、既存のビジネスを効率化・高度化します。具体的には、ERPをクラウドベースのDynamic 365に移行しました。エレクトロニクス分野が好調な時代に、ERPにいろいろ機能を追加しました。それを捨ててDynamic 365に移行して、機能が減ったぶんを**RPA**＊で効率化しています。クラウドベースのDynamic 365とは何でしょうか？　それはマイクロソフト社が、使い慣れたOfficeシステムから最先端のAI技術まで「モダン ワークプレイス」、「ビジネス アプリケーション」、「アプリケーション＆インフラストラクチャー」、「データ＆AI」の4本柱でユーザーのデジタル化を支えるというものです。

Dynamics 365は、クラウド上で**CRM**＊/ERP領域を統合的に提供し、拡張性、開発の柔軟性、容易なデータ活用によりお客様業務の生産性向上、迅速／最適な経営判断を可能にします。

＊**RPA**　Robotic Process Automationの略。パソコンで行っている事務作業を自動化できるソフトウェアロボット技術のことです。

＊**CRM**　Customer Relationship Managementの略。顧客関係管理とは、顧客満足度と顧客ロイヤルティの向上を通して、売上の拡大と収益性の向上を目指す経営戦略／手法です。

RPAと従来の技術との違い

工場では、ベルトコンベアなどの大型の生産設備がベースにあり、その周りで産業用のロボットが速く正確に製造作業を行い、人（製造スタッフ）はロボットのメンテナンスやロボットでさえできない作業を行っていました。

一方オフィスでは、基幹システム（ERP）がベースにあり、その上で作業を行うのは人（IT技術関連スタッフ）になっていました。

ERPを扱うのが大変であれば、解決策はERPをカスタマイズするか、もしくはIT技術関連スタッフを増やすか（ベンダー企業にアウトソースするか）でした。ここでのカスタマイズとは、要求に合わせて直す、特注で作る、といった意味の英単語で、既製品の一部を利用者などの希望や必要に合わせて作り変えることです。

そこに**RPA**＊が登場したことで、オフィス業務の効率性がよくなったのです。それにより、IT技術関連スタッフの役割も、自らデスクワークを行うことから、ソフトウェアのロボット（RPA）をメンテナンスしたり、ソフトウェアのロボット（RPA）でさえできない細やかな作業をしたり、というものに変わってきています。

ERPを導入しても現場の業務が変わらない

ERPを導入後にどういった運用体制を敷くのか、事前に十分な検討を行わないまま導入を進めてしまうと、ERPが業務の実態に即したものにならず、ほとんど使われずに終わってしまうケースもよくあることです。苦労の末に導入したERPの使い勝手が悪く、さらにRPAを導入するなど、本末転倒な運用になってしまっている例も少なくありません。

情報システム部門の社内的な影響力の有無や、社内のパワー構造が影響してこのような事態に陥っている場合も考えられます。業務を効率化するだけの実行力や影響力がないまま導入を推し進めてしまうと、現場の意識が追いつかないため、使われないシステムとなってしまうのです。

現場での活用を意識しすぎるあまり、要求に過剰に応じてしまい、機能要件などが膨らみ、かつ導入してもなにも改善されないシステム要件になってしまう。こうなると開発する期間はどんどん長引き、コストは無限に増大していくという悪循環に陥ってしまいます。

ERP導入後はROI評価を行い、効果を予測する

企業でのERP導入により、どれくらいの投資効果が見込めるのか、**ROI***評価を行って効果を予測することが重要です。ROIとは、Return on Investmentの略語です。投資した費用から、どれくらいの利益・効果が得られたのかを表す指標です。ERPを導入する目的はあくまでも「自社の課題を解決するシステムを導入し、業務の効率化をはかることで利益につなげる」ためです。また、ROIは、一度きりの評価では有用な情報を得られません。導入後も定期的な評価を行うことによっては、ERP導入が自社にどの程度の費用対効果をもたらしているかの見極めが可能になります。特に、導入した時期は現場の責任者や担当者の主導でROI評価を実行していたが、時間の経過と共に計測を中止するケースがあります。継続してROI評価を行い、効果を予測していく必要があります。

ベンダーに依存しない戦略とは

DXの基幹システムの開発は、会社として高額な費用をかけて行う一大事業です。開発を依頼するベンダーやコンサルについては、すぐに選ばず、既存ベンダーにこだわることなく自社で比較検討を重ねた上で、選定すべきです。ベンダーの選択には、DXが急速に進む昨今、システムを取り巻く市場の状況は以前と異なり、IT技術の環境が急速に変化しています。

ベンダーとの長年の付き合いがあり、自社のことをよく知る外部ベンダーに相談するのは構造的に仕方のないことではあるかもしれませんが、IT技術の発展と共に、常に新しいビジネスの成長戦略によってDXが飛躍的に変化しています。

***ROI**　Return on Investmentの略。

既存の延長線上でのみ、新規ベンダーの導入を考えるのではなく、既存のベンダーに依存しない戦略を検討する必要があります。自社が目指すビジネス状態から現状の課題を抽出した上で、最適なパートナーを選定する必要があります。

また、導入する前から現場の責任者や経営層を問わず、すべての一般の社員を巻き込み、ERPを導入する必要性の内容をよく理解させERPの研修することなく、よく検討せずに導入したシステムは、導入時の担当者が異動や退職してしまうと「なぜそのシステムを選定したのか」が担当部署の誰もわからなくなってしまうことがあります。

工場や事業部の情報システム部門が、システムの構築や運用を外部に丸投げしている傾向が強い会社は、ベンダーの方が、会社の業務内容やシステムの知識も豊富なため、ベンダー主導でプロジェクトが進んでしまい、担当者がプロジェクトを十分にコントロールできない状態に陥るリスクがありますので、ERPを導入する際は、業務改善とシステムの運用の両方を重視する必要があります。

次に、ベンダーがSIerやシステムベンダーである場合、業務改善とシステム運用が切り離されていることを認識してシステムの開発の目的を明確にすることです。彼らにとってはシステムの開発するのが主な仕事であり、業務改善は対応範囲外となります。つまり業務の改善や組織変革までは、契約内容に含まれないということです。彼らにシステム導入を依頼すれば、業務改善や組織変革まで実現できると期待するのは間違いです。

やみくもにシステムを導入するのでは現行の業務の進め方をなぞるだけになりがちで、業務の効率化を実現できません。

将来のためにも多くの外部ベンダーやコンサルと常に良好な関係を保ちながら、複数の選択肢を持っておくことが重要です。

メモ　ROI

投資額に対してどれだけの利益を生み出しているかを示すものです。投資利益率＝利益÷投資額

ソフトウェア開発の手順と文書化

DXに関わるソフトウェア開発の手順とその文書化について説明していきます。

ソフトウェア開発の手順

情報システムの開発プロセスと文書化について、基礎を理解していきましょう。情報システムのソフトウェア開発工程は複数のサブシステムと複数のプログラムによって構成されています。

例えば、映画館に入場し映画を鑑賞するまでの一連の流れを「システム」ととらえ、「情報処理」の流れを考えてみましょう。希望の入場券が発券され、半券のチケットが回収され、映画館を退場するまでの映画チケット発券機「ハードウェア」やチケット発券プログラム「ソフトウェア」を含むすべての処理が含まれていきます。予約の際の映画名や上映時間、料金、席の指定などを確認する「個々の処理」）が集まり構成されるシステム全体を構成する処理を「サブシステム」と呼びます。

現状分析（基本計画）においては、システムエンジニア［System Engineer］（以下、SE）であるSEにより、顧客（以下、クライアント）である「ユーザー（利用者）」からニーズや現状を丁寧に聴いて、現状を把握していきます。そこでは、不便な点や改善点を調査・分析し、必要なシステムを提案していきます。SEはシステム全体を完成させるまでの「期間」や「費用」などの基本的な計画をまとめて、クライアントに提案します。

システム開発と文書化は次のような図の手順で行われます（図表5-12）。

システム開発手順と文書化（図表5-12）

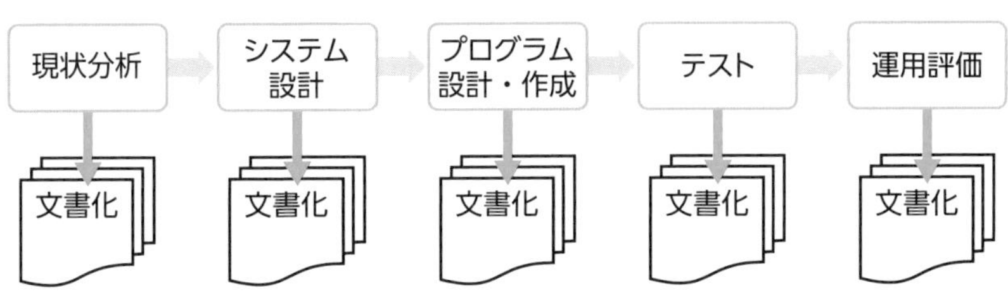

システム設計では、SEは現状分析の結果をもとに、クライアントの実状に合わせた「システムを設計」を行います。そこでは、ユーザーの要望を取り入れ、利用しやすい最適なシステムを設計をすることが求められます。システム設計にあたっては常に多くの人がかかわる設計を行っていくための作業の進み具合を常に管理し、予定通り推進するための進捗管理や工程管理を行うことが不可欠です。

システム開発と文書化(ドキュメンテーション)

システム開発にあたって、システムの運用のことを「オペレーション」、システムの維持のことを「メンテナンス」といいます。図表5-12では、システム開発の各段階でどのような文書を作成する必要があるのかを一覧で確認できます。必要な事項を各段階で、整理することが必要です。それらを文書に残すことを「ドキュメンテーション」といいます。

システム開発は短期であれ、長期であれ、プロジェクト単位で開発を行います。ユーザー側のシステム責任者や現場の利用者および、ベンダー側のシステムエンジニアをはじめプログラマほか多くの関係者が参加してシステム開発を行い、それぞれが各自の役割を果たしていきます。

プロジェクトの進捗で問題が生じた際やシステムが完成し、運用のために引き渡しをされたのちも定期的な保守作業が行われます。

長期にわたって安定したシステムの性能とセキュリティ対策を行い、システムをアップデートしながら、安心・安全にシステムを稼働させ、維持・管理するためには、各システム開発段階での適切な文書化を行い、保管・引き継いでいくことが不可欠です。そうすることで担当者が変わってもシステム開発に必要な情報は引き継がれ、不足の事態やエラーの発生にも適切に対処していくことができます。それでは、システムの各段階でどのような文書を作成するのか、図表5-13で確認していきましょう。

ソフトウェア開発段階ごとの文書の種類（図表5-13）

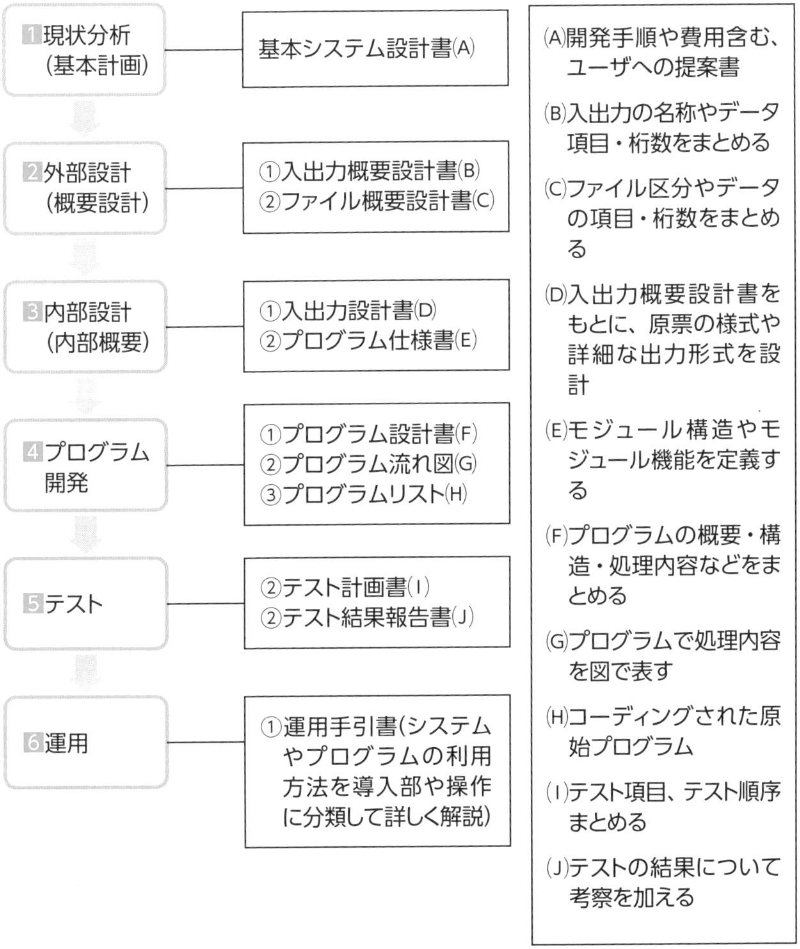

開発段階	文書
1 現状分析（基本計画）	基本システム設計書(A)
2 外部設計（概要設計）	①入出力概要設計書(B) ②ファイル概要設計書(C)
3 内部設計（内部概要）	①入出力設計書(D) ②プログラム仕様書(E)
4 プログラム開発	①プログラム設計書(F) ②プログラム流れ図(G) ③プログラムリスト(H)
5 テスト	②テスト計画書(I) ②テスト結果報告書(J)
6 運用	①運用手引書（システムやプログラムの利用方法を導入部や操作に分類して詳しく解説）

(A)開発手順や費用含む、ユーザへの提案書

(B)入出力の名称やデータ項目・桁数をまとめる

(C)ファイル区分やデータの項目・桁数をまとめる

(D)入出力概要設計書をもとに、原票の様式や詳細な出力形式を設計

(E)モジュール構造やモジュール機能を定義する

(F)プログラムの概要・構造・処理内容などをまとめる

(G)プログラムで処理内容を図で表す

(H)コーディングされた原始プログラム

(I)テスト項目、テスト順序まとめる

(J)テストの結果について考察を加える

09 成長のための戦略デザイン

情報社会の到来と進展

情報社会の到来と進展について説明をしていきます。

情報社会の到来と進展

コンピュータ技術と情報通信ネットワークの普及により、**ICT**＊（情報通信技術）は発展してきました。1980年アルビン・トフラーは、現代文明は第1の波（農業革命）、第2の波（産業革命）に続く第三の波（情報革命）の中にあると提唱しました。（図表5-14）特に、第3の波が押し寄せる社会においては、情報革命が人々の働き方やライフスタイル、地域社会を大きく変え、生産プロセスへの消費者の直接参加が可能となり、経済構造をも大きく変革していく社会が到来することを提唱しました。いままさに私たちは、第3の波の文明（情報革命、ネットワーク革命、知識革命）により、生み出された第4の波（デジタル革命）の時代を目の当たりにし、第5の波（**スマート革命**＊）を迎えようとしています。情報技術の進展はさらに加速し、サイバー空間とフィジカル（現実）空間を高度に融合させたシステムが経済発展と社会的課題の解決（図表5-14）を両立する人間中心の「新たな社会」（Society5.0）（図表5-15）を創出していく未来を予測しています。

製造業をはじめ、あらゆる業種で進むDX化によるイノベーションにより創出される新たな価値が、「格差のない」新しい「人間中心の社会」を実現し、アフターコロナの困難な時代において、AI（人工知能）の技術導入により、産業のバリューチェーンを強化し、国際競争力を生き抜く確かな糧となることを確信します。

＊**ICT**　Information and Communications Technologyの略。

情報社会の到来と進展(図表5 14)

	年代	社会	革命	情報・知識の役割
第1の波 第1次革命 Society1.0	5000年 ～1万年前	狩猟・採取社会 ～農耕・牧畜社会	農業革命	コミュニケーションにおいて重要な役割を担う
第2の波 第2次革命 Society2.0	18世紀末 ～19世紀	工業社会	産業革命	物質やエネルギー生産技術を支える脇役
第3の波 第3次革命 Society3.0	1960年代 ～20世紀	脱工業社会 (postindustrial society)	情報革命 ネットワーク革命 知識革命	ITCが社会の主役としての役割(情報によって購買活動がかわる)
第4の波 第4次革命 Society4.0	2010年代	情報社会	デジタル革命	AIやロボットなど最先端の技術によって社会のサービスを支える
新たな波 第5次革命 Society5.0	新たな社会	人間中心の社会	スマート革命	サイバー空間とフィジカル(現実)空間を高度に融合させたシステム

出所　遠山曉他「現代経営情報論」有非閣2021　大転換(革命)と社会の進展より作成

メモ スマート革命

総務省は平成24年版の情報通信白書で、「スマート革命」を主要なものとして取り上げています。インターネット、携帯電話、クラウドサービス、ソーシャルサービスといったネットワークサービス環境の進化に加えて、スマートデバイスの普及によって、総務省が「u-Japan」構想で掲げてきたユビキタスネットワーク社会の実現が整いつつあるとしています。

新たな価値創出「ものづくり」の事例(図表5-15)

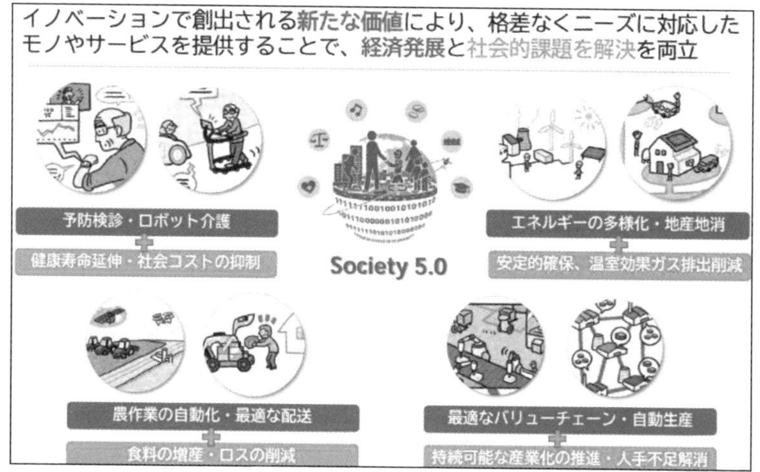

図1　経済発展と社会課題の解決の両立

出所　内閣府作成

図2　新たな価値創出「ものづくり」の事例

Index

あ行

アーキテクチャ……57
アーキテクト……136
アクセスポイント……181,184
アジャイル開発……48
アナログ……71,91
アルゴリズム……139
インセンティブ……38
インダストリー4.0……142
エンジニア・プログラマ……137
オフコン……74
オペレーション……206
オンライン……33

か行

可視化……97
基幹システム……106
企業文化……26
既存システム……199
既存ITシステムの老朽化……73
クラウド……27,179
検索……102
高集積化……13
高水準言語……139
工数管理……129
工数シェア……159
顧客体験……62
コンシューマー製品……127

さ行

作業改善……159
作業分析……159
サブシステム……205
サプライウェブ……168
サプライチェーン……14,79
サプライチェーン・マネジメント……80
サプライヤー……175
市場ニーズ……163
システム・アーキテクト……122,125
システムインテグレータ……42,44
システム開発……132
システムトラブル……11
システムの検収……42
システム老朽化……34
省人化……65
仕様変更……48
情報処理技術……160
情報処理推進機構……134
少量多品種生産……147
進捗管理……128,129
スマート革命……208,209
スマート工場化……183
スマートファクトリー……142,159,161
製造実行システム……151
製造ライン……89
製品ライフサイクル……147
世界デジタルサミット……153
潜在的問題……37
センシング技術……142
倉庫管理システム……106
ソフトウェア開発……131,205
ソフトウェア・パッケージ……81,178,179

ソリューション…………11

た行

ダイナミック・ケイパビリティ…………192
タイムラグ…………191
タグ…………156
多重下請構造…………167
棚卸…………158
タブレット端末…………113,115
チャット…………191
チャットボット…………191
チョコ停…………116
提案依頼書…………39,39
低水準言語…………139
データ管理…………36
データ・サイエンティスト…………136
デジタルアソートシステム…………114
デジタル化…………32,65
デジタル・サイネージ…………113,118
デジタルツイン…………150
デジタル・ディバイド…………29,52
デバイス…………11,181
テレビ会議…………33
テレワーク…………12,24,195
ドキュメンテーション…………206
ドライブレコーダー…………113,116

な行

内製化…………83,166
ナレッジマネジメント…………138
ノウハウの喪失…………14

は行

バーコード…………156
バージョン管理…………102
ハードウェア…………124
ハンディターミナル…………71
汎用パッケージ…………47
光回線終端装置…………182,185
ビジネスデザイナー…………135
非接触型ICカード技術…………20
ピッキング…………70
ファイリング…………100
負荷シェア…………159
ブラックボックス化…………12,34
プラットフォーマー…………171
プラットフォーム…………86,171
フリーランス…………166
フローチャート…………139
プログラム…………139
プロデューサー…………134
文書管理システム…………101
文書登録…………102
ペーパーレス会議…………99
ベンダー企業…………27

ま行

マッチング…………175
マッチングツール…………159
見える化…………61,183
ミスマッチ…………104
無人倉庫…………159
無線LAN…………184
無線LANルータ…………184
モダナイズ…………58
モダナイゼーション…………58
モノのインターネット…………54

や行

ユーザー企業…………27,42

有線LAN …… 184
要件定義 …… 42,51,132
要件定義書 …… 51
要素技術 …… 126

ら行

ライフサイクル管理 …… 102
ラグ …… 191
リードタイム …… 70,178
リスクマネジメント …… 18,178
リソース …… 55
リバース・ロジスティクス …… 179
レガシー化 …… 27
老朽化 …… 11
労働生産性 …… 90
ログ分析 …… 193
ロジスティクス …… 176

わ行

ワークフロー …… 102

アルファベット

AI …… 19,27,123,197
Bluetooth …… 113
BOM …… 55,191
BOP …… 148
Chat …… 193
CRM …… 201
CX …… 62
DAS …… 114
DataRobot …… 62,88
DX …… 29,32
DX人材 …… 127
DX推進ガイドライン …… 30
EOS …… 74
ERP …… 179
GAFA …… 75
GPS …… 10
HTML …… 184
IC …… 21
ICT …… 195,208
IoT …… 54,123
IPA …… 134
ITエンジニア …… 46,145,161
IT化 …… 32
ITツール …… 53
ITベンダー企業 …… 42,44
LSI …… 21,125
LT …… 70
MES …… 151
MRP …… 190
MSI …… 125
OA …… 195
OCR …… 102,109
OEM …… 173
ONU …… 184,187
OSI参照モデル …… 185
QCD …… 149
RFID …… 156
RFP …… 40
ROI …… 203,206
RPA …… 194,201,202
R&D …… 89
SaaS …… 164
SCM …… 80,188
SCP …… 181
SES企業 …… 167
SI …… 82
SI企業 …… 169
SIer …… 82,168

Suica …… 10
UAT …… 43
UXデザイナー …… 137
WAN …… 186
Wi-Fi …… 114
WMS …… 106
XaaS …… 179,182

数字

2025年の崖 …… 67

●著者紹介

髙橋信弘（たかはし・のぶひろ）

ソニー株式会社外国部、Sony Saudi Arabian Company、Sony Precision Engineeringなどで海外勤務、ソニー株式会社電子デバイス事業本部、青山学院大学、専修大學、文教大学兼任講師を経て、現在、ロジスティックスオペレーションサービス（株）非常勤。著書は「English in the Factory」、「電話英語」（学校法人佐野学院神田キャリアカレッジ）、「仕事現場の英会話」（DHC）、「海外でのものつくり英語入門講座」（工学研究社）、「始めよう!Eメール英文ライティング」（日本英語教育協会）、「製造現場のリアルな英語表現」（秀和システム）など多数。専門分野は海外工場の生産管理とマーケティング、実用英語教育研修、英語教育学位:修士（英語教育）。

清原雅彦（きよはら・まさひこ）

ソニーグループの物流部門で人事・倉庫・輸送業務のマネジメントを経て、ソニーグループの新会社にて人事部長、執行役員を歴任、並び、専門学校にて留学生の指導を含むキャリアデザインの講師。現在、ロジスティックスオペレーションサービス（株）。専門分野：物流・倉庫サプライチェーン、人事労務管理並び海外人事（外国人の採用）。著書に「製造現場のリアルな英語表現」（秀和システム）がある。

折本綾子（おりもと・あやこ）

株式会社ACS（経営コンサルタント会社）にて市場調査や企業内教育に携わり、株式会社パソネット（IT教育関連企業）・東京工学院専門学校にて講師。株式会社エントリージャパン（外資系医療機器輸入商社）にて広報、Web管理・運営等に従事する。

青山学院大学兼任講師を経て、現在、文教大学（情報学部　メディア表現学科/情報社会学科）、秀明大学（英語情報マネジメント学部）立正大学（経営学部）兼任講師。

著書は「MOUS教科書　Word2002　上級試験」翔泳社（共著）、「MOUS教科書　Excel2002　上級試験」翔泳社（共著）、「学習意欲向上を目指した課題達成型プログラムとグループワークの連動」IT活用教育方法研究　第13巻第1号巻頭論文、私立大学情報教育協会（共著　第1著者）。専門分野は、経営情報、広報・企業文化、教育工学、情報科教育。学位：修士（経営学）。所属学会：日本教育工学会、日本広報学会、日本実用英語学会、日本情報科教育学会

日本グラフィックデザイン協会会員。

改革・改善のための戦略デザイン 製造業DX

発行日　2021年12月 1日　　第1版第1刷

著　者　髙橋 信弘／清原 雅彦／折本 綾子

発行者　斉藤　和邦

発行所　株式会社　秀和システム

〒135-0016

東京都江東区東陽2-4-2　新宮ビル2F

Tel 03-6264-3105（販売）Fax 03-6264-3094

印刷所　三松堂印刷株式会社

ISBN978-4-7980-6527-4 C0034

定価はカバーに表示してあります。

乱丁本・落丁本はお取りかえいたします。

本書に関するご質問については、ご質問の内容と住所、氏名、電話番号を明記のうえ、当社編集部宛FAXまたは書面にてお送りください。お電話によるご質問は受け付けておりませんのであらかじめご了承ください。